Ein WAS IST WAS Buch

Geschichte der Medizin

Von Claudia Eberhard-Metzger

Illustrationen von Alessandro Baldanzi

Die um einen Stab gewundene Schlange, mit der zusammen der griechische Gott Äskulap dargestellt wird, ist bis heute Sinnbild der Heilberufe.

TESSLOFF

Vorwort

Die Geschichte der Medizin ist lang. Wollte man sie ausführlich erzählen, müsste man viele Seiten in Bänden von Büchern füllen. Dieses WAS IST WAS-Buch versucht, die wichtigsten Werkmarken aufzuzeigen – und will erkennen lassen, dass es immer einzelne Menschen waren, die den Mut hatten, anders als Andere zu denken, und die dadurch die Medizin – die Heilkunst – voranbrachten.

Über 2000 Jahre lang war ein „Ungleichgewicht der Körpersäfte" die häufigste Diagnose, die Ärzte stellten, und zumeist Aderlass und Schröpfen die einzigen Therapien, die Menschen gesund machen sollten. Dann begannen die ersten Forscher, nach den Ursachen der Krankheiten zu fragen. Sie richteten den Blick auf die Zelle, sie erkannten krank machende Keime und sie fanden Mittel und Wege, um das, was krank macht, zu bekämpfen.

Die modernen Wissenschaftler blicken noch tiefer in die Zelle hinein. Sie fahndeten unter den Genen und Proteinen und spüren den Wurzeln der Krankheiten bis in die kleinsten Moleküle nach, um sie dort, in des Lebens kleinsten Zahnrädern, zu beheben. Dabei darf jedoch nicht vergessen werden, dass der Mensch mehr ist als die Summe seiner Teile. „Wenn es da nicht die großen Unterschiede zwischen den Menschen gäbe", heißt es in einem über 100 Jahre alten Buch über die Prinzipien der Medizin, „könnte die Medizin eine Wissenschaft sein – und keine Kunst."

Für die freundliche Durchsicht des Textes dankt die Autorin Herrn Prof. Dr. med. Wolfgang Eckart, Direktor des Instituts für Geschichte der Medizin, Ruprecht-Karls-Universität Heidelberg.

BAND 66

Dieses Buch ist auf chlorfrei gebleichtem Papier gedruckt.

BILDQUELLENNACHWEIS:

Fotos: AKG, Berlin: S. 1, 70, 8/9 (Hintergrund), 9 (3), 10ur, 13ol, 14, 15, 16 (3), 17ol, 17ul, 18 (5), 19or (2), 19um, 21 (4), 22 (2), 23l, 24m (Harvey), 25or, 26om, 26mr (Instrumente), 27mr, 28ol, 30, 32m, 35ol, 35m, 35ur, 41o; The Art Archive/Picture Desk, London: S. 8ol, 8or (Ragab Papyrus Institute Cairo/Dagli Orti); Bayer AG, Leverkusen: S. 43ur; The Bridgeman Art Library, London: S. 10ol, 11or, 11ur, 17or; Corbis, Düsseldorf: S. 5or, 11ul, 32or, 39or, 47; Deutsches Hygiene-Museum, Dresden: S. 41m; Deutsches Medizinhistorisches Museum, Ingolstadt: S. 26ur; Deutsches Museum, München: S. 18or (2) (Dreckapotheke); Deutsches Röntgen-Museum, Remscheid: S. 34o; Fotoarchiv Südtiroler Archäologiemuseum, Bozen: S. 7ur (2); HistoCom GmbH/Industrie Archiv, Frankfurt: S. 39u (2); Picture-Alliance, Frankfurt: S. 17mr, 19 (Kamille, Fingerhut, Tollkirsche), 25 (Kork), 33o, 38or; Science Museum/Science & Society Picture Library: S. 28u (Zeichnung); Science Photo Library/Agentur Focus, Hamburg: S. 4, 5ol, 5ur (2), 10or, 10ul, 12ul, 13ur (2), 13o, (Asklepios-Heiligtum), 19 (Baldrian), 20, 23r, 24ur, 25 (4), 26or (Hunter), 27ul, 28 (Hintergrund), 29o (2), 31u (3), 33r, 36ol, 36ur (2), 37u (3), 42/43, 43m (2), 44, 45 (2), 46 (3), 46/47; Siemens-Pressebild: S. 37ol; The Thomas Fisher Rare Book Library, University of Toronto: S. 39or (Thompson); ullstein bild, Berlin: S. 6/7, 28u (Schwann), 29u, 31o, 32ol, 35ul, 35or, 36o, 36ul, 38u (3), 40, 41u, 42; Zentrum für Human- und Gesundheitswissenschaften/Institut für Geschichte der Medizin, Berlin: S. 26ul.

UMSCHLAGFOTOS: AKG, Berlin; Picture-Alliance, Frankfurt; Archiv Tessloff

ILLUSTRATIONEN: Alessandro Baldanzi, Milan Illustrations Agency, Milano; Joachim Knappe, Hamburg (S. 42/43, DNS)

GRAFIK: Johannes Blendinger, Nürnberg

Copyright © 2006 Tessloff Verlag, Burgschmietstraße 2–4, 90419 Nürnberg

www.tessloff.com • www.wasistwas.de

ISBN-10: 3-7886-0406-9
ISBN-13: 978-3-7886-0406-6

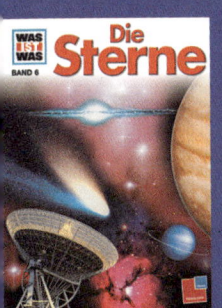
WAS IST WAS · BAND 6 · Die Sterne

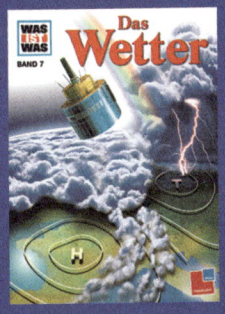
WAS IST WAS · BAND 7 · Das Wetter

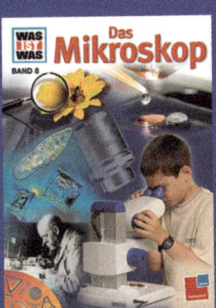
WAS IST WAS · BAND 8 · Das Mikroskop

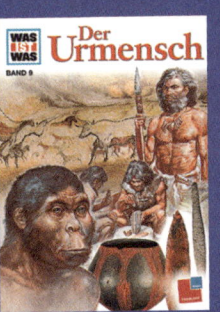
WAS IST WAS · BAND 9 · Der Urmensch

WAS IST WAS · BAND 10 · Fliegerei und Luftfahrt

WAS IST WAS · BAND 11 · Hunde

WAS IST WAS · BAND 18 · Der Wilde Westen

WAS IST WAS · BAND 19 · Bienen, Wespen und Ameisen

WAS IST WAS · BAND 20 · Reptilien und Amphibien

WAS IST WAS · BAND 21 · Der Mond

WAS IST WAS · BAND 22 · Die Zeit

WAS IST WAS · BAND 23 · Architektur

WAS IST WAS · BAND 30 · Insekten

WAS IST WAS · BAND 31 · Bäume

WAS IST WAS · BAND 32 · Meereskunde

WAS IST WAS · BAND 33 · Pilze

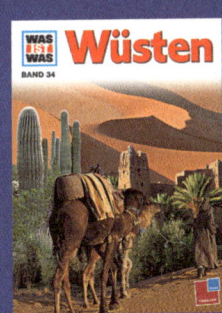
WAS IST WAS · BAND 34 · Wüsten

WAS IST WAS · BAND 35 · Erfindungen

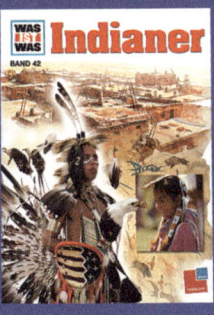
WAS IST WAS · BAND 42 · Indianer

WAS IST WAS · BAND 43 · Heimische und exotische Schmetterlinge

WAS IST WAS · BAND 44 · Die Bibel · Das Alte Testament

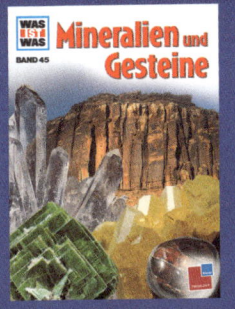
WAS IST WAS · BAND 45 · Mineralien und Gesteine

WAS IST WAS · BAND 46 · Mechanik

WAS IST WAS · BAND 47 · Elektronik

WAS IST WAS · BAND 54 · Die Eisenbahn

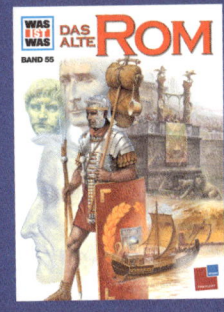
WAS IST WAS · BAND 55 · DAS ALTE ROM

WAS IST WAS · BAND 56 · Ausgestorbene und bedrohte Tiere

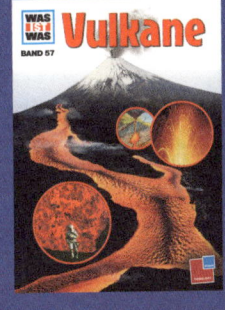
WAS IST WAS · BAND 57 · Vulkane

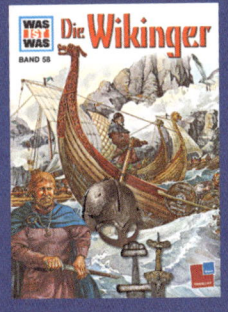
WAS IST WAS · BAND 58 · Die Wikinger

WAS IST WAS · BAND 59 · Katzen

WAS IST WAS · BAND 66 · Geschichte der Medizin

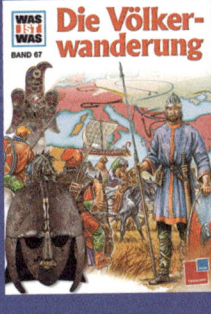
WAS IST WAS · BAND 67 · Die Völkerwanderung

WAS IST WAS · BAND 68 · Natur erforschen und schützen

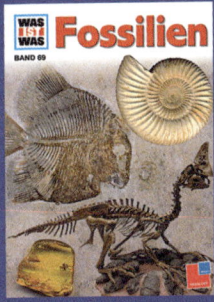
WAS IST WAS · BAND 69 · Fossilien

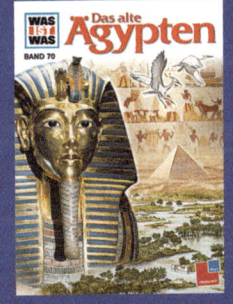
WAS IST WAS · BAND 70 · Das alte Ägypten

Weitere Titel siehe letzte Seite.

Inhalt

EIN MEILENSTEIN DER MEDIZIN

Nur ein kleiner Pieks. Mehr spürte James nicht. Dann konnte er schon wieder davonspringen und den Freunden stolz von seiner Heldentat berichten: Wie der Doktor zum Skalpell gegriffen hatte, um ihm damit in die Haut zu schneiden. Und dass so viele Leute gekommen waren, um dem Doktor dabei zuzusehen. James verstand die ganze Aufregung nicht. Er war nur froh, das Theater endlich hinter sich zu haben.

So könnte sich am 14. Mai des Jahres 1796 ereignet haben, was sich als einzigartige Erfolgsgeschichte der Medizin herausstellen sollte: Der Landarzt Edward Jenner impft erstmals einen Menschen gegen die Pocken. Es ist der kleine James Phipps, der achtjährige Sohn seines Gärtners. Jenner benutzt dazu Flüssigkeit, die er einer Pockenpustel entnommen hat, die er auf der Hand der Melkerin Sarah Nelmes fand. Diese Flüssigkeit ritzt Jenner dem Kind mit einer scharfen Elfenbeinklinge in den Oberarm. Von den Melkerinnen wusste Jenner, dass sie auffällig häufig von den „echten" Pocken verschont blieben, sehr wohl aber an den „Kuhpocken" erkrankten, einer harmlosen Variante, die dem Menschen nur wenig anhaben kann. Seine Überlegung: Wer die Kuhpocken durchgemacht hat – so wie die Melkerinnen, die sich während ihrer Arbeit mit den Kühen anstecken –, der ist lebenslang vor den „echten" Pocken gefeit.

Um zu prüfen, ob seine Vermutung richtig ist, infiziert Jenner seinen kleinen Patienten sechs Wochen später mit den echten Menschenpocken. Würde James Phipps erkranken, vielleicht sogar

Titelseite des berühmten Buches von Jenner

Jenner überträgt James Phipps die harmlosen Kuhpocken – sie stammen aus einer Pockenpustel der Melkerin Sarah Nelmes (Mitte), die das Geschehen interessiert beobachtet.

WAS SIND POCKEN?

Pocken wurde die Seuche wegen der zahllosen Pusteln genannt, die auf der Haut der Kranken entstehen. Gefürchtet waren die Pocken nicht nur, weil sie oft zum Tod führten, sondern auch wegen der tiefen, kraterförmigen Narben, die die Überlebenden für immer entstellten. Auch Erblindung, Taubheit und Lähmungen zählten zu den schrecklichen Hinterlassenschaften.

Der berühmte deutsche Schriftsteller Theodor Fontane schreibt, in seiner Kindheit habe man von den Pockennarbigen gesagt, „der Teufel habe Erbsen auf ihrem Gesicht gedroschen". So entstellt sahen die Menschen aus.

Was die Krankheit verursacht, blieb bis zu Beginn des 20. Jahrhunderts unbekannt. Erst im Jahr 1906 entdeckte der Arzt Enrique Paschen die „Pockschen Körperchen" unter dem Mikroskop: winzige Lebewesen, Viren (links eine Elektronenmikroskopaufnahme), die von Mensch zu Mensch übertragen werden.

Pockennarbe

sterben? Ein gewagtes Menschenexperiment – doch Mutter und Vater Phipps vertrauen Jenner, der als gewissenhafter Arzt bekannt ist. Und tatsächlich soll er Recht behalten: James bleibt gesund, auch dann, als Jenner ihm Monate später ein zweites Mal die echten Pocken unter die Haut ritzt. Jenner nennt seine neue Methode Vakzination, nach dem lateinischen Wort „vacca" für Kuh.

Noch heute verwenden Ärzte diesen Begriff. Und sie wissen, dass das Impfen nur deshalb gelingt, weil abgeschwächte oder abgetötete Erreger ein körpereigenes Wunderwerk aus Abwehrzellen und chemischen Boten – das Immunsystem – alarmieren. Jenner ahnte das damals noch nicht. Schon sechs Jahre nach der ersten Impfung waren in England 470 000 Menschen gegen die Pocken geimpft. Bald wurde die Pockenimpfung rund um den Globus angewandt. Rund 180 Jahre später, am 8. Mai 1980, verkündete die Weltgesundheitsorganisation eine Sensation: „Die Pocken gibt es nicht mehr." Damit erfüllte sich, was Jenner erhofft hatte: Mit seiner Methode wollte er einer der schlimmsten Seuchen den Garaus machen. Mittlerweile gibt es zahlreiche solcher Schutzimpfungen. Sie bewahren vor schweren Krankheiten, die früher oft tödlich endeten, etwa Diphtherie, Masern, Mumps, Keuchhusten oder Röteln. Gegen krank machende Keime impfen zu können, zählt zu den größten Erfolgen der Medizin. Wenn man die Geschichte der Medizin betrachtet, zeigt sich, dass es immer wieder Pioniere wie Edward Jenner waren, die den Mut hatten, anders als Andere zu denken, und die Heilkunde voranbrachten.

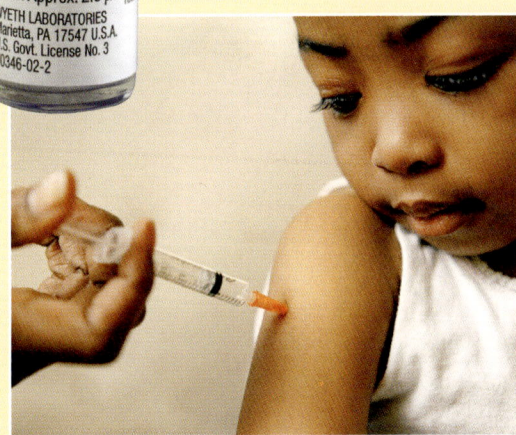

Die Schutzimpfung gilt heute als eine der größten Errungenschaften in der Medizingeschichte.

Dämonen, Götter und Zauberer

Solange es den Menschen gibt,

Seit wann gibt es Krankheiten?

gibt es auch Krankheiten. Sie begleiten ihn, seit seine Vorfahren vor rund 500 000 Jahren im Eiszeitalter auftauchten. Krankheiten sind aber vermutlich noch viel älter – sie sind so alt wie das Leben selbst. Schon bei versteinerten, 350 Millionen Jahre alten Muscheln konnten die Forscher nachweisen, dass sie zu Lebzeiten von krank machenden Schmarotzern befallen waren. Selbst die Dinosaurier litten an Krankheiten, vor allem an Gelenkentzündungen und Zahnkaries. Auch an Überbleibseln des Höhlenbären, einer schon lange ausgestorbenen, großen Bärenart, erkannten Forscher die Zeichen schmerzhafter Gelenkentzündungen.

Das meiste, was die Forscher heute über die Krankheiten unserer Vorfahren wissen, verdanken sie der Untersuchung von Mumien – Leichen, deren Knochen und Gewebe durch Einbalsamieren, große Trockenheit oder Kälte erhalten geblieben sind. An den Skeletten fanden die Forscher beispielsweise die Spuren von Kinderlähmung und Tuberkulose. Häufig entdeckten sie auch eine übermäßige Brüchigkeit des Schädels, was bei heute lebenden Menschen kaum mehr auftritt. In den mumifizierten Geweben spürten sie Nieren- und Gallensteine auf oder stellten „verkalkte" Gefäße fest. An 3000 Jahre alten ägyptischen Mumien erkannten die Wissenschaftler eine Wurmkrankheit, die in Ägypten auch heute noch sehr häufig ist.

Unsere Ahnen vertrauten den magischen Kräften von Medizinmännern. Mit Zauberei versuchten sie, krank machende Dämonen aus dem Körper zu vertreiben.

Die Menschen der Frühzeit

Wie erklärten sich die ersten Menschen Krankheiten?

machten vor allem übersinnliche Kräfte, böse Mächte und Dämonen für Krankheiten verantwortlich. Sie beobachteten aber auch schon, dass Krankheiten durch sehr konkrete, diesseitige Ereignisse entstehen: Ihnen wurde übel, wenn sie etwas Verdorbenes gegessen hatten, sie bekamen Fieber, wenn ein Insektenstachel oder ein Pflanzendorn in der Haut stecken geblieben war, oder sie litten an einer eiternden Wunde nach der Verletzung mit einer Wurfwaffe.

Vor etwa 40 000 Jahren lebte in Europa ein Neandertaler, der stark hinkte, längere Wege nur unter starken Schmerzen zurücklegen und kaum aufrecht sitzen konnte. Darauf lässt der stark missgebildete Hüftknochen seines unvollständig erhalten gebliebenen Skeletts schließen. Trotz seiner sehr schmerzhaften Behinderung muss er sich viel bewegt haben – das verrät das glattgeschliffene Innere der Gelenkpfanne.

Die Frühmenschen stellten Tiere und Menschen im „Röntgenstil" dar. Auch heutige Naturvölker fertigen solche Bilder an.

Wie wurden früher Krankheiten behandelt?

Als früheste Wurzel der Heilkunde gilt, dass die Menschen einander halfen, wenn einer von ihnen in Not geraten war. Solche einfachen „medizinischen" Hilfeleistungen kann man heute noch bei Menschenaffen beobachten, die Hebammendienste leisten. Die ersten Heilkundigen waren vermutlich Magier (Schamanen), die zwischen der Welt der Geister und der menschlichen Gemeinschaft vermitteln sollten. Ihnen wurden Zauberkräfte zugeschrieben, mit denen sie böse Mächte vertreiben und fernhalten konnten. Dämonen, die in den Körper eines Menschen eingedrungen waren, versuchten sie mit Zauberformeln, Furcht erregenden Maskeraden, Lärm oder wilden Tänzen zu vertreiben. Zuweilen kam es auch vor, dass sie ihre Patienten schlugen, um den krank machenden Geist wieder aus dem Körper zu jagen. Sie

Mit einfachen Steinwerkzeugen durchlöcherten Operateure die Schädel ihrer Patienten.

wandten jedoch auch schon natürliche Heilmethoden an, etwa Bäder, Massagen und Schlammpackungen. Auch kannten sie die Wirkung einiger heilkräftiger Pflanzen und tierischer Substanzen. Die Schamanen waren sehr einflussreich und wurden nahezu gottgleich verehrt.

Nur wenig wussten die ersten Heilkundigen davon, wie der menschliche Körper gebaut ist. Umso erstaunlicher sind die „Trepanationen": Operationen, bei denen mit primitiven Steinwerkzeugen kleine Knochenscheiben aus dem Schädel geschnitten wurden. Dämonen, von denen man annahm, dass sie im Kopf festsitzen, sollten durch die Löcher entweichen können. Das erste Mal geschah das vermutlich 10 000 Jahre vor Christus im heutigen Marokko. Viele Patienten überlebten den gefährlichen Eingriff. Das bezeugen Schädelfunde, an denen die Forscher gut verheilte Trepanationslöcher feststellten.

WIE KRANK WAR ÖTZI?

Im Jahr 1991 wurde in den Ötztaler Alpen die Mumie eines Mannes gefunden, der vor etwa 5000 Jahren gelebt hat. Am Körper entdeckten Forscher über 50 blauschwarze Tätowierungen, von denen sie vermuten, dass sie medizinischen Zwecken dienten. Womöglich sollten sie Ötzi zu Lebzeiten vor Schmerzen schützen, die durch Parasiten in seinem Darm sowie durch Abnutzungen an Wirbelsäule und Gelenken verursacht wurden. Erstaunlich ist, dass die Tätowierungen genau an den Körperstellen zu finden sind, an denen ein Akupunkteur auch heute Verdauungsprobleme oder Rückenleiden behandeln würde. Manche Fachleute glauben daher, dass Ötzi akupunktiert wurde. Dies deutet darauf hin, dass die Ursprünge der Akupunktur wohl nicht ausschließlich im Fernen Osten zu suchen sind, wie man bislang glaubte.

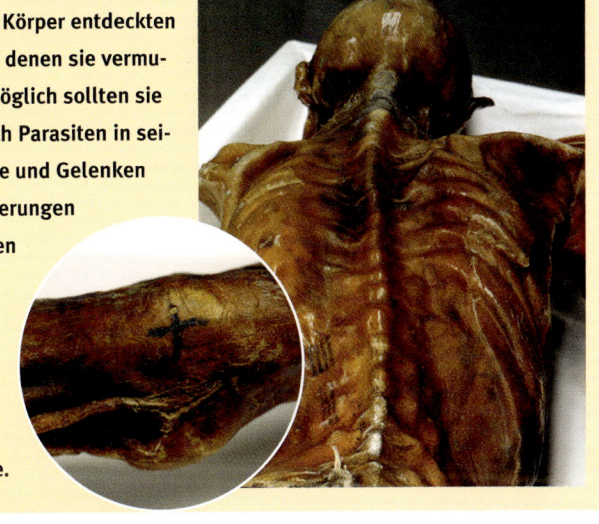

Heilkunde der frühen Hochkulturen

Wann beginnt die Geschichte der Medizin?

Etwa 3000 vor Christus erfanden die Menschen die Kunst des Schreibens und hinterließen Keilschrifttexte auf Ton und Stein – wie die Babylonier – oder Papyri, so heißen die Papierrollen der ägyptischen Hochkultur (3. bis 1. Jahrtausend v. Chr.). Erst mit diesen schriftlichen Überlieferungen beginnt die eigentliche Geschichte der Medizin.

Einer der umfangreichsten und ältesten Papyri ist der „Ebers Papyrus". Er ist rund 1550 Jahre vor Christus entstanden und wurde benannt nach dem Archäologieprofessor Georg Ebers (1837-1898). Dieser hatte die fast zwanzig Meter lange Papierrolle im Frühjahr 1873 in der ägyptischen Stadt Luxor von einem Straßenhändler gekauft, der behauptete, sie Jahre zuvor zwischen den Beinen einer Mumie herausgezogen zu haben. Das Fundstück entpuppte sich als eine Art Handbuch der Medizin. Darin überliefert

Ein Operationsbesteck aus alter Zeit – hinterlassen auf einer ägyptischen Tempelwand.

Augenkrankheiten waren unter den Ägyptern weit verbreitet. Gegen Nachtblindheit schlägt der Papyrus Ebers Ölungen der Pupillen mit Rinderfett vor.

Im Papyrus Ebers ist nachzulesen, wie ägyptische Ärzte behandelten. „Was muss man machen, wenn ein Knie krank ist?", lautet eine der dort gestellten Fragen. Die Antwort dazu: „Früchte fein zerstoßen, mit Wasser vermischen; das Knie mit dieser Zubereitung so lange verbinden, bis es geheilt ist."

WARUM HATTEN DIE ALTEN ÄGYPTER SCHLECHTE ZÄHNE?

Die Ärzte wussten im alten Ägypten nur wenig vom Bau des Körpers. Das ist verwunderlich, wurden doch tagtäglich verstorbene Menschen mumifiziert. Dazu entfernte man das Gehirn sowie die Eingeweide und füllte die Körperhöhlen mit harzgetränktem Leinen oder Sägemehl aus. Das Herz – es galt als Lebenszentrum – durfte jedoch niemals entnommen werden. Die Ärzte nahmen allerdings nicht an der Mumifizierung teil. Denn dafür war eine andere Berufsgruppe, die der Einbalsamierer, zuständig.

Mumie des Königs Ramses II. (um 1279-1213 v. Chr.)

Die Untersuchung der Mumien mit modernen Methoden enthüllt viele medizinische Details. Etwa, dass die alten Ägypter sehr häufig unter schlechten Zähnen litten. Die Ursache war nicht – wie heute – Karies, sondern ein übermäßiges Abnutzen der Zähne durch feste Bestandteile im Mehl, etwa Abschürfungen des Mühlsteins. Die Verunreinigungen gelangten in das Brot, einem Hauptnahrungsmittel der Ägypter, und schliffen deren Zähne ab.

FRÜHE FACHÄRZTE

Ein Kennzeichen der ägyptischen Medizin ist, dass es sehr viele Spezialisten gab. „Alles in Ägypten ist voller Ärzte", überliefert der griechische Geschichtsschreiber Herodot: „Die einen sind Augenärzte, die anderen sind für Kopfleiden, wieder andere für Zahnleiden, für Magenleiden oder für innere Leiden ohne äußerlich sichtbare Erscheinungen zuständig." Die Spezialisierung ging so weit, dass es selbst eigene „Hüter des Afters" gab. Der After galt als Sitz der Krankheit – das Herz als Sitz des Lebens.

sind beispielsweise „Das Wissen über die Bewegung des Herzens und die Kenntnisse des Herzens selbst" oder „Anweisungen, um jemanden zu pflegen, der ein Magenleiden hat". Außerdem enthält der Papyrus 876 Rezepte und nennt mehr als 500 heilkräftige Substanzen.

Ein anderes wichtiges medizinisches Dokument ist der „Papyrus Edwin Smith", so benannt nach dem jungen amerikanischen Ägyptologen, der ihn im Jahr 1862 erworben hat, ebenfalls von einem Händler. Vermutlich stammt der Smith-Papyrus aus dem gleichen Grab wie der Papyrus Ebers. Im Smith-Papyrus ist beschrieben, wie die Heilkundigen im alten Ägypten Wunden behandelten. Eine Überschrift heißt beispielsweise „Anleitungen für eine offene Kopfwunde, die bis zum Knochen vorgedrungen ist."

Wie behandelten die Ärzte ihre Patienten?

In der Frühzeit dachten die Menschen, Krankheiten seien das Werk blind waltender böser Geister. Später wurden Krankheiten als Strafe angesehen, die gerechte Götter den Menschen für sündiges Verhalten schickten. Im alten Ägypten glaubte man beispielsweise, dass die Göttin Sekhmet den Menschen die Pest schickt, um sie zu bestrafen; umgekehrt war die Göttin imstande, die Menschen von der Seuche zu befreien, sobald sie sich wieder gottgefälliger verhielten. Die Priesterärzte hatten im alten Ägypten die Aufgabe, die Gottheiten durch Gebete und Opfer auszusöhnen. Einer der berühmtesten Priesterärzte ist Imhotep (um 2600 v. Chr.), gleichzeitig Baumeister, Schriftsteller und Ratgeber des Pharao. Den Priesterärzten standen spezialisierte Ärzte und Heilgehilfen zur Seite. Sie waren es, die die Patienten tatsächlich untersuchten und behandelten. Besonders erfolgreich arbeiteten die Wundärzte des Pharaonenreiches: Sie befestigten lockere Zähne, schienten gebrochene Gliedmaßen und vernähten tiefe Wunden.

Amulette wie das Udjat-Auge, das heilige Auge des Falkengottes Horus, sollten Krankheiten fernhalten.

Als Gott der Heilkunst verehrten die Ägypter Imhotep. Er ist einer der ersten Ärzte, deren Namen die Nachwelt kennt.

Ein altchinesischer Arzt fühlt einer Patientin den Puls, um zu erkennen, an welcher Krankheit sie leidet.

sollen diese Kräfte die Natur und den Menschen beherrschen: Yang wirkt positiv, Yin negativ. Geraten die beiden Kräfte aus ihrem harmonischen Gleichgewicht, sei es durch ungünstige Einflüsse von innen oder von außen, entstehen Krankheiten.

Vor jede Behandlung setzten die chinesischen Ärzte eine gründliche Diagnose – das bedeutet, sie untersuchten die Kranken sorgfältig. Dazu fühlten sie vor allem den Puls und betrachteten die Zunge ihrer Patienten. Ein chinesischer Arzt unterschied 51 Pulsarten und 37 Schattierungen der Zunge. Aus seinen Beobachtungen konnte er auf die Art der Krankheit schließen. Die chinesischen Ärzte kannten schon die Zuckerkrankheit sowie Masern, Cholera und Pocken, von denen sie nicht weniger als 42 Formen zu unterscheiden wussten.

Ein zweiter chinesischer Kaiser, Shen-Nung (um 2700 v. Chr.), gilt als Erfinder der Arzneimittellehre und der Akupunktur. Über 100 Pflanzen

> ### Wie erklärten sich die alten Chinesen Krankheiten?

Um 2900 v. Chr. soll in China der sagenhafte Kaiser Fu-Hsi gelebt haben. Der Legende nach beobachtete er eines Tages, wie ein auffällig gezeichnetes Drachenpferd aus dem Gelben Fluss stieg. Der Kaiser erkannte in der Zeichnung die grundlegenden Kräfte Yang und Yin. Dem Glauben nach

WUNDERMITTEL GINSENG

Den alten Chinesen galt Ginseng als „höheres Arzneimittel", um „das Leben zu nähren" und dem Altern entgegenzuwirken. Heute ist bekannt, dass der Ginsengextrakt so genannte Ginsenoside als Inhaltstoffe enthält. Sie helfen dem Körper dabei, belastende Situationen besser zu bewältigen und ihn widerstandsfähiger gegen Infekte zu machen.

HEILEN MIT NADELN: AKUPUNKTUR

Die chinesischen Ärzte befürworteten vorbeugende Maßnahmen und eine natürliche Heilkunst mittels Massagen, Gymnastik, Akupunktur und Moxibustion. Zur Akupunktur verwendeten sie goldene und silberne Nadeln, die sie an bestimmten Stellen in die Haut stachen. Die chinesischen Ärzte glaubten, auf diese Weise Verstopfungen in Kanälen zu lösen, die den gesamten Körper durchziehen, und so das Gleichgewicht von Yin und Yang wiederherstellen zu können. Die Moxibustion ist eine Spielart der Akupunktur. Dazu setzten die Ärzte kleine Kräuterkegel auf die Haut, zündeten sie an und warteten, bis die entstehende Hitze die Haut darunter deutlich rötete. Die Akupunktur wird auch heute noch in der Medizin eingesetzt und hat sich auch unter modernen Gesichtspunkten als hilfreich bei Kopfschmerzen und Schmerzen des Bewegungsapparates erwiesen.

Meridiane zeigen an, an welcher Stelle der Akupunkteur die Nadeln setzen soll.

Das Symbol der Kräfte Yin und Yang steht für Einheit und Ausgeglichenheit.

hat er auf ihre heilende Wirkung geprüft und in einer Abhandlung zusammengestellt. Insgesamt kannte die chinesische Medizin etwa 1800 Arzneimittel aus pflanzlichen, tierischen und mineralischen Stoffen. Die chinesischen Ärzte verfügten auch bereits über Schmerzmittel: Als betäubende Substanzen benutzten sie Opium oder Extrakte der Mandragorawurzel, auch Alraune genannt.

Vaidya Dhanvantari, die höchste Gottheit der indischen Ayurveda-Medizin

Was heißt Ayurveda?

Ayurveda bedeutet „Wissen über ein langes Leben". Es handelt sich dabei um eine zusammenhängende Lehre, deren schriftliche Hauptwerke in der Zeit von 600 bis 400 vor Christus in Indien entstanden sind. Die ayurvedische Medizin geht davon aus, dass Krankheiten entstehen, wenn die Körpersäfte wie Galle und Schleim aus dem Gleichgewicht geraten sind. Beachtlich ist der ayurvedische Heilmittelschatz: Über 1200 Arzneien werden in den Schriften genannt. Einige von ihnen wurden zur Grundlage moderner Arzneien. Weitere Behandlungsmethoden waren der Aderlass, gesundes Essen, Bewegungstherapie und Yoga-Meditation. Das Lehrgebäude des Ayurveda ist noch heute die Basis der traditionellen indischen Medizin.

Bei den alten Indern war die Chirurgie hoch entwickelt. Die Ärzte kannten rund 100 chirurgische Instrumente, das wichtigste Instrument aber war die Hand. Zur Narkose verwendeten sie Wein, oder sie versetzten ihre Patienten mit Hypnose in Trance. Zu den erstaunlichen Eingriffen, die ihnen gelangen, zählen Augen-, Blasen- oder Nierenoperationen sowie Nasen- und Ohrplastiken. Die indischen Ärzte waren auch gute Diagnostiker und untersuchten ihre Patienten mit allen Sinnen, auch mit dem Geschmackssinn. So kam es, dass die Inder lange vor den Europäern den süßen Geschmack des Urins als Anzeichen der Zuckerkrankheit erkannten.

Die Ayurveda-Medizin setzt auf pflanzliche Arzneimittel.

Die Hand galt in der altindischen Medizin als das wichtigste Instrument des Arztes.

Hippokrates – Wandel des Denkens

Wie änderte sich die Medizin in der Antike?

Die Geschichte der Heilkunde in der Antike ist von den Griechen geprägt. Sie betrachteten Krankheiten erstmals von einem wissenschaftlichen Standpunkt aus: Nicht mehr böse Dämonen oder verärgerte Götter wurden dafür verantwortlich gemacht, dass Menschen krank werden, sondern natürliche Ursachen. Und wenn etwas eine natürliche, fassbare Ursache hat, dann sollte es ebenso natürliche Mittel und Wege geben, mit denen die Ursache und damit die Krankheit bekämpft werden kann. Diese Gedanken waren damals revolutionär. Sie bestimmten später auch die Medizin des römischen Imperiums – und selbst die Medizin unserer Zeit steht noch in der Tradition der wissenschaftlichen Denkweise der alten Griechen. Nicht ohne Grund verwenden die Ärzte heute noch griechisch-lateinische Fachausdrücke.

Hippokrates untersuchte die Kranken zuerst sorgfältig und überlegte dann, wie er sie gesund machen könnte.

Wer war Hippokrates?

Hippokrates gilt als „Vater der modernen Medizin" – doch vom Leben des berühmten Arztes ist nur wenig bekannt. Hippokrates wurde vermutlich um 460 vor Christus auf der griechischen Insel Kos geboren. Bereits als Kind soll er von seinem Vater Herakleides, ebenfalls Arzt, in die Medizin eingeführt worden sein. Der damaligen Sitte gemäß verließ Hippokrates seine Heimat und zog als Wanderarzt von Stadt zu Stadt, um seine ärztliche Kunst auszuüben und Erfahrungen zu sammeln. Bis nach Ägypten soll Hippokra-

ASKLEPIOS oder Äskulap war ein griechischer Arzt, der später als Gott der Heilkunde verehrt wurde. In Darstellungen tritt er mit dem von der heiligen Schlange umringelten „Äskulapstab" auf. Bis heute ist dies das Sinnbild der Heilberufe. Manche deuten die Schlange als Symbol für eine Wurmerkrankung und ihre Behandlung im alten Ägypten: Die Würmer, die sich im Körper festsetzen, wurden von den Ärzten um Stäbchen gewickelt und langsam wieder aus dem Gewebe herausgezogen.

Auf der griechischen Insel Kos unterwies Hippokrates seine Schüler.

tes gekommen sein, wo er angeblich drei Jahre verbrachte und die ägyptische Medizin kennenlernte. Von dort kehrte er nach Kos zurück, praktizierte auf seiner Heimatinsel und gründete eine eigene, einflussreiche Schule der Medizin. Zwischen 380 und 370 vor Christus ist Hippokrates in der Nähe der griechischen Stadt Larissa nördlich von Athen gestorben.

Im „Corpus Hippocraticum" sind 60 medizinische Texte gesammelt. Lange Zeit dachte man, dass Hippokrates all diese Texte selbst verfasst hat. Das stimmt wahrscheinlich nicht, dennoch ist der Sammlung zu entnehmen, was Hippokrates und seine Schüler dachten und lehrten. Die „Hippokratiker" gingen davon aus, dass es vier Körpersäfte – Blut, Schleim, gelbe und schwarze Galle –

gibt, deren Mischungsverhältnis darüber entscheidet, ob ein Mensch gesund oder krank ist. Man spricht auch von der „Humorallehre" (von lateinisch humor, „Flüssigkeit"). Befinden sich die Säfte im Gleichgewicht, ist der Mensch gesund. Ist aber ein Ungleichgewicht eingetreten, wird der Mensch krank. Die Säfte werden von schädlichen Stoffen ins Ungleichgewicht gebracht, die im Körper entstehen oder von außen in ihn eindringen.

Die Hippokratiker sahen die Aufgabe des Arztes darin, die natürliche Heilkraft des Körpers zu unterstützen. Wichtig war ihnen auch die Prophylaxe, das Vorbeugen: Eine gesunde Ernährungs- und Lebensweise sollte verhindern, dass Krankheiten überhaupt entstehen.

EID DES HIPPOKRATES

„Ich werde meine Verordnungen nach bestem Wissen und Können zum Heile der Kranken treffen, nie zu ihrem Verderben oder Schaden. Ich werde auch nie jemandem eine Arznei geben, die den Tod herbeiführt, auch nicht, wenn ich darum gebeten werde."

Ob dieser Eid tatsächlich auf Hippokrates (oben) zurückgeht, ist heute zwar zweifelhaft, dennoch sind diese Leitsätze noch immer Vorbild für das Arztgelöbnis. Unbestritten ist der Einfluss der hippokratischen Medizin: Sie unterstellte das ärztliche Handeln einer hohen Verantwortung.

WER WAR GALEN?

Galen (um 129-199 n. Chr.), der zweite große Arzt der Antike, stammte aus Pergamon im Nordwesten Kleinasiens. Mit 17 Jahren begann er das Studium der Medizin und beschäftigte sich besonders mit der Anatomie, der Lehre vom Bau des menschlichen Körpers. Um 157 wurde Galen Arzt der Gladiatorenschule in Pergamon und sammelte viele Erfahrungen bei der Versorgung der verletzten Gladiatoren. Galen hat erstmals ein geschlossenes Lehrgebäude der Medizin aufgebaut. Seine Autorität war so groß, dass sein Gedankengut die Medizin bis in das 17. Jahrhundert hinein beeinflusste. Er war überzeugt davon, dass Beobachten und Experimentieren die Quellen des medizinischen Wissens sind. Er sezierte deshalb Affen, Bären, Schweine und Ziegen, um zu erkennen, wo sich die Organe im Körper befinden und wie sie gebaut sind. Was Galen bei seinen Untersuchungen an Tieren erkannte, übertrug er auf den Menschen. Das war nicht immer richtig. Erst, als es üblich geworden war, anatomische Forschungen an Leichen vorzunehmen, gelang es Gelehrten wie Vesal oder Harvey, den bis dahin unangefochtenen Galen zu entthronen.

Die inneren Organe, wie Galen sie sich vorstellte

Urinschau, Aderlass und Schröpfen

Noch heute berühmt: die mittelalterliche Äbtissin und Ärztin Hildegard von Bingen

Im frühen Mittelalter (etwa 5. bis 12. Jahrhundert) wurden die Klöster zu medizinischen Zentren.

Was ist die Klostermedizin?

Die Mönche sammelten medizinisches Wissen und übersetzten medizinische Texte aus dem Griechischen, Lateinischen und Arabischen. Sie bearbeiteten jedoch nicht nur Texte, sondern betrieben auch praktische Heilkunde: In den Klöstern gab es Krankenstuben, in denen Patienten gepflegt und behandelt wurden, und es gab Klostergärten, in denen Heilpflanzen wuchsen, aus denen die Mönche Arzneimittel herstellten. Auch die medizinische Ausbildung erfolgte in den Klöstern. Mit dem Konzil von Clermont im Jahr 1130 endete diese Periode der Klostermedizin, die auch Mönchsmedizin oder „monastische Medizin" ge-

nannt wird. Den Mönchen wird nun untersagt, ärztlich tätig zu sein, weil es sie zu sehr von ihren geistlichen Aufgaben ablenke. Eine bedeutende Vertreterin der Klostermedizin ist Hildegard von Bingen (1098-1179). Bereits mit acht Jahren trat sie in ein Benediktinerinnenkloster ein und gründete später ihr eigenes Kloster auf dem Rupertsberg bei Bingen am Rhein. Neben vielen geistlichen Schriften hinterließ sie ein umfangreiches medizinisch-naturwissenschaftliches Werk. Darin beschreibt sie unter anderem die Heilkräfte der Pflanzenwelt ihrer rheinischen Heimat und erläutert, wie Krankheiten entstehen und wie sie behandelt werden können. Auch heute noch ist die „Hildegard-Medizin" ein Begriff.

Malerisch liegt das Städtchen Salerno über dem Golf von Paestum in Süditalien. Dort entstand bereits Ende des

Was lehrte die Schule von Salerno?

10. Jahrhunderts eine weltliche Medizinschule, die im 12. Jahrhundert zum ersten und berühmtesten medizinischen Zentrum des Mittelalters heranwuchs und zur Pflanzstätte aller medizinischen Fakultäten Europas wurde. Das Besondere der Schule in Salerno war, dass sich die ärztlichen Lehrer der vorherrschenden

PRÜFUNGEN FÜR ÄRZTE

Unter dem Einfluss der Schule von Salerno erließ Roger II., König von Sizilien, im Jahr 1140 die erste ärztliche Ausbildungsverordnung. Nach dieser durfte niemand die Heilkunst ausüben, der sich nicht „dem Urteil einer Prüfung" unterworfen hatte. Derart ausgebildete und geprüfte Ärzte waren im Mittelalter dennoch eine Seltenheit: In Paris gab es im Jahr 1296 gerade einmal sechs solcher Doktoren. Auf dem Lande blieb die Medizin in den Händen von Barbieren, Badern und heilkundigen Laien.

„WEIBER VON SALERNO"

Die Schule von Salerno gestattete es auch Frauen, Medizin zu studieren – eine Ausnahme zur damaligen Zeit und eine Ausnahme sollte es jahrhundertelang bleiben. Zu den „Weibern von Salerno" zählen namhafte Ärztinnen. Eine von ihnen hieß Trotula. Sie schrieb ein Buch über die Krankheiten der Frauen und eines über die Zusammensetzung von Arzneimitteln. Eine andere, Abella, verfasste ein Werk über die schwarze Galle.

Im Mittelalter suchten kranke Menschen im Kloster Zuflucht. Die Klosterärzte waren gleichzeitig Lehrer, Chirurgen und Apotheker. Lange Zeit waren die Begriffe „Medicus" und „Apothecarius" gleichbedeutend.

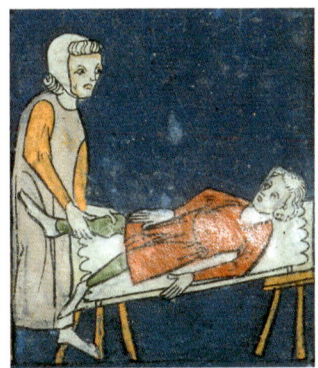

Details aus der „Chirurgia" des Roger Frugardi aus Salerno. Die Medizinschule in der italienischen Stadt Salerno war vom 11. bis 13. Jahrhundert die berühmteste medizinische Fakultät Europas.

Klostermedizin weitgehend entzogen und ihre Pforten für Christen, Juden und Araber gleichermaßen öffneten. Ein berühmter Lehrer und Übersetzer der Schule von Salerno war Konstantin von Afrika (1018-1087). Er stammte aus Karthago, hatte den ganzen Orient bereist und war sehr bewandert in den arabischen Wissenschaften. Er verschmolz das Erbe von Hippokrates und Galen mit dem Gedankengut der arabischen Medizin, die damals immer mehr an Einfluss gewann.

Ein weiterer berühmter „Salernitaner" war Roger Frugardi. Der Wundarzt, Operateur und Lehrer verfasste 1170 einen chirurgischen Leitfaden, in dem er Krankheiten und Verletzungen des Kopfes und Halses, der Arme und des Rumpfes, der Hüften und Beine sowie ihre

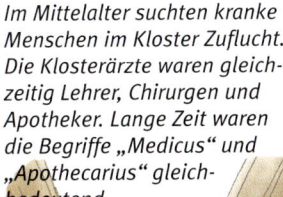

Der Seziersaal der im Jahr 1222 gegründeten Universität in der italienischen Stadt Padua

Behandlung beschreibt. Fast ein ganzes Jahrhundert lang blieb Rogers „Chirurgia" das grundlegende Buch der Wundarzneikunst.

Salerno wurde bald so berühmt, dass Studenten aus ganz Europa kamen, um dort zu lernen. Das Studium der Medizin dauerte in Salerno fünf Jahre und schloss mit einem praktischen Jahr ab.

Zwischen dem 12. und 15. Jahrhundert entstanden zuerst in Italien und Frankreich neue Arten von Bildungsstätten: die Universitäten. Sie übernahmen ab dem 13. Jahrhundert die Ärzteausbildung, Salerno wurde bedeutungslos. Für die Medizin wichtig waren vor allem die Universitäten in Paris, Bologna und Padua. Dort erfolgte eine medizinische Ausbildung, wie es sie bislang nicht gegeben hatte. Gelehrt wurde nach der so genannten scholastischen Methode: Der Hochschullehrer las seinen Schülern aus dem Werk

Ab wann wird die Medizin in Universitäten gelehrt?

eines anerkannten Gelehrten vor – in der Medizin war dies vor allem das Werk Galens. Anschließend diskutierten die Schüler das Gehörte und erörterten es theoretisch. Die scholastische Lehrmethode galt zunächst als fortschrittlich, weil sie das komplexe medizinische Wissen systematisch und logisch vermittelte. Sie erstarrte jedoch bald, weil Lehrer und Schüler bedingungslos und unkritisch den alten Autoritäten folgten. Ein weiterer Nachteil der Methode war, dass praktische Unterweisungen am Patienten so gut wie nicht vorkamen. Sektionen, also das Öffnen von Leichen, fanden zwar statt, was es zu sehen gab, musste jedoch stets mit dem übereinstimmen, was „im Galen" beschrieben war. Die scholastische Periode der Medizin dauerte vom 12. bis zum 16. Jahrhundert.

HOSPITÄLER

Im 9. Jahrhundert entstanden die ersten Hospitäler, zunächst für arme, alte, heimatlose und bedürftige kranke Menschen. Ab 1145 verbreiteten sich die so genannten Heiliggeist-Hospitäler der Heilig-Geist-Bruderschaft, deren oberste Pflicht die Krankenpflege war, über ganz Europa. Der bekannteste ritterliche Spitalorden ist der Johanniterorden. Die Johanniter bauten in Jerusalem, später auch auf den Inseln Kos, Rhodos und Malta große Krankenhäuser und erarbeiteten Richtlinien, wie die Patienten gepflegt werden sollten.

BADER UND BARTSCHERER: CHIRURGEN DES MITTELALTERS

Das Wort Chirurgie ist der griechischen Sprache entlehnt, ins Deutsche übersetzt bedeutet es „Handwerk". Mit eben diesem Handwerk gaben sich die mittelalterlichen Schulmediziner nicht ab. Sie überließen das blutige Geschäft lieber den Badern, die das öffentliche Bad betrieben (rechts), aber auch Bartscherern oder Schneidärzten, die von Ort zu Ort zogen. An einer Universität hatte die Chirurgie nichts zu suchen. Eine Ausnahme machte nur die Schule von Salerno, wo sich auch ausgebildete Mediziner nicht scheuten, die „Wundheilkunst" auszuüben und die aus der Antike überlieferte Einheit von „Innerer Medizin" und Chirurgie weiterhin zu praktizieren.

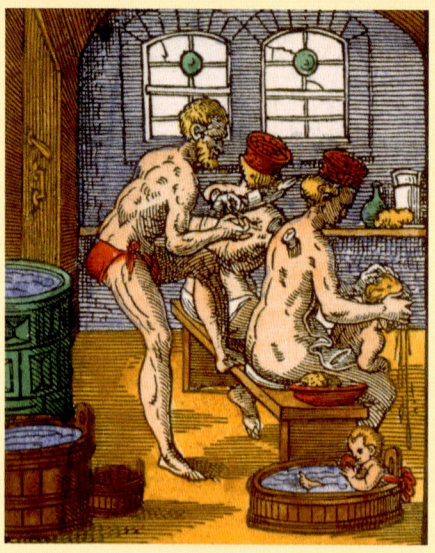

Nicht nur Schropfköpfe (links), auch Blutegel wurden für den Aderlass verwendet.

Pestkranke Menschen

Pestarzt

Um eine Krankheit festzustellen,
fühlten die mittelalterlichen
Ärzte den Puls und untersuchten die menschlichen Körpersäfte und Ausscheidungen. Besonders die „Urinschau" galt als nahezu unfehlbare diagnostische Methode. Sie war eine der wichtigsten Tätigkeiten der Heilkundigen, die deshalb von der Bevölkerung wenig respektvoll „Pisspropheten" oder „Brunzedoktoren" genannt wurden.

Wie behandelten die mittelalterlichen Ärzte?

Die Behandlung bestand vor allem darin, die Patienten zur „Ader zu lassen" und sie zu „schröpfen" – das heißt, ihnen Blut abzuzapfen. Auch das Herbeiführen von Durchfall und Erbrechen waren gängige Methoden, mit denen das verlorene Gleichgewicht der Körpersäfte wiederhergestellt werden sollte.

ANGST VOR ANSTECKUNG

Nur von Kopf bis Fuß in spezielle Schutzanzüge gehüllt wagten sich die Ärzte zu den Pestkranken. Das Gewand bestand aus gewachstem Leinen oder Leder, der Schnabel der Maske war mit Riechstoffen gefüllt, welche die Atemluft vom Pestgift reinigen sollten. Ergänzt wurde der Aufzug durch eine Brille mit Kristallgläsern, die vor einer vermuteten Ansteckung durch Blickkontakt schützen sollte.

Welche Krankheiten wüteten damals am schlimmsten?

Die Menschen starben im Mittelalter zumeist an Infektionskrankheiten, vor allem an Pest, Pocken, Masern und Lepra. Diese Plagen breiteten sich in gewaltigen Seuchenzügen über den europäischen Kontinent aus. Vor allem die Pest forderte unzählige Opfer. In Konstantinopel sollen im Jahr 542 täglich nahezu 1000 Menschen am so genannten schwarzen Tod gestorben sein. Der Tod drohte im Mittelalter jedem zu jeder Zeit: Die mittlere Lebenserwartung betrug 35 Jahre, wer seinen 40. Geburtstag feiern konnte, galt als alt und mit 50 Jahren war man ein Greis.

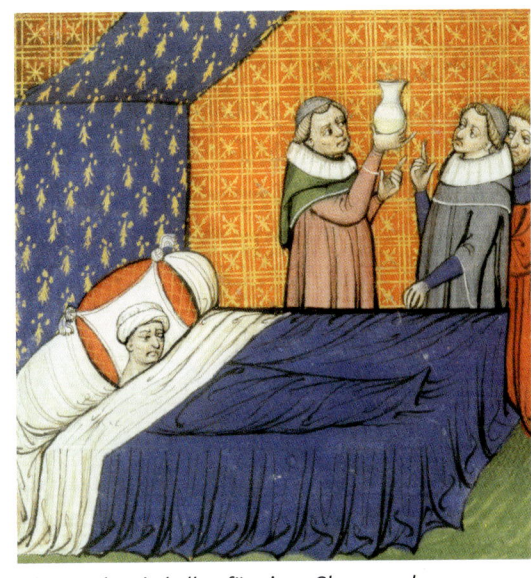

Die Matula, ein kolbenförmiges Glas, war das Standessymbol der Ärzte im Mittelalter. Die Urinschau galt als unfehlbar im Erkennen von Krankheiten.

Der Aderlass war eine wichtige Behandlungsmethode in der Antike und im Mittelalter.

17

Apotheken und Heilkräuter

Ab 1240 entsteht ein eigener Apothekerstand.

Die ersten Apotheken

Die Ärzte der Antike bereiteten ihre Arzneimittel noch selbst zu. Im Mittelalter entstanden die ersten Apotheken. Zunächst wurden sie von Mönchen betrieben, die Arzneien aus den Heilpflanzen des Klostergartens herstellten. Im Laufe des 13. Jahrhunderts wurden in Deutschland dann die ersten städtischen Apotheken gegründet.

Zubereitung der Arznei

Rezepte, wie wir sie heute kennen, gab es damals noch nicht: Der Arzt spazierte nach seiner Sprechstunde in die Apotheke und deutete mit seinem „Ordinationsstab" auf die Gefäße im Regal, aus denen die Inhaltsstoffe für das Medikament genommen werden sollten. Der Apotheker fertigte die Arznei dann unter der Aufsicht des Arztes an. Vom lateinischen Wort „recipe!", zu Deutsch „nimm!", mit dem der Arzt den Apotheker aufforderte, stammt das heutige Wort Rezept. In seiner noch heute üblichen handschriftlichen Form wird es erstmals im 16. Jahrhundert eingeführt.

Die Gründung eines eigenen Apothekerstandes geht auf eine Verordnung des Hohenstauferkönigs Friedrich II. aus dem Jahr 1240 zurück. Er verfügte darin, dass sich Ärzte am Herstellen und Verkaufen von Arzneimitteln nicht mehr beteiligen durften. Seither ist eine besondere

Anbau von Heilkräutern

Genehmigung erforderlich, um eine Apotheke zu eröffnen und zu betreiben. Neben guten Fachkenntnissen und persönlicher Unbescholtenheit mussten die amtlich zugelassenen Apotheker auch einen Eid ablegen, in dem sie schworen, ihr Wissen stets nur zum Wohl der Kranken zu verwenden.

Dreck-Apotheke

Charakteristisch für das Mittelalter is die so genannte Dreck-Apotheke. Zu ihren Zutaten zählten gepulverte Perlen, gedörrte Kröten, verbrannte Mauwürfe, Hühnermägen, Hechtzähne, Krebsaugen, auch Exkremente, etwa Kuhfladen und Ziegenkot. Schlangenfleisch beispielsweise galt als wirksa gegen Lepra, Bocksblut sollte gegen Malaria wirken und die Asche von Hasen gegen Nierensteine.

KRÄUTERAPOTHEKE DER NATUR

Die erste Medizin, die der Mensch kannte, stammte aus der Kräuterapotheke der Natur: Unsere Vorfahren fanden ihre Arzneimittel im Wald oder am Flussufer. Ihre Erfahrungen über die Heilkraft der Pflanzen gaben sie zunächst mündlich, dann schriftlich von Generation zu Generation weiter. Heute sind der Medizin etwa 3 000 Heilpflanzen bekannt, rund 500 werden regelmäßig für Arzneien genutzt. Die moderne Pharmakologie – die Wissenschaft, die erforscht, auf welche Weise Arzneimittel wirken –, versucht herauszufinden, welche einzelnen Inhaltsstoffe der Pflanzen für die heilkräftige Wirkung verantwortlich sind. Diese Stoffe werden dann einzeln oder kombiniert zu pflanzlichen Medikamenten, so genannten Phytopharmaka, verarbeitet.

Fingerhut gegen Herzleiden

Einige der seit Jahrtausenden genutzten Heilpflanzen sind mittlerweile wissenschaftlich gut untersucht.

HEILKRÄFTIGE PFLANZEN

Dazu zählt die Schlafbeere, deren Blätter und Wurzeln die alten Ägypter gegen Schlafstörungen einsetzten. Heute weiß man, dass die Pflanze tatsächlich chemische Verbindungen enthält, die beruhigend wirken. Ein Beispiel aus der chinesischen Medizin ist der Extrakt der Ginsengwurzel, der schon vor über 2 000 Jahren als Beruhigungsmittel verwendet wurde. Wissenschaftler haben den Inhaltsstoff identifiziert, der für die besänftigende Wirkung verantwortlich ist: ein seifenartiger Stoff, ein „Saponin". Und noch etwas haben die Pharmakologen herausgefunden: Neben dem eigentlichen Wirkstoff gibt es in Pflanzen Begleitstoffe, die die Gesamtwirkung entscheidend beeinflussen

Baldrian zur Beruhigung

Kamille gegen Entzündungen

können. Sie haben etwa festgestellt, dass der Baldrian als Beruhigungs- und Schlafmittel wirkt – bisher konnten sie jedoch keine einzelne Substanz „dingfest" machen, die dafür verantwortlich ist. Offensichtlich zeigt nur die komplexe Mischung verschiedener Stoffe den gewünschten Erfolg.

Salbei bei Halsentzündungen

Fenchel gegen Husten

HOMÖOPATHIE

Die Homöopathie ist ein alternatives Verfahren, das vor etwa 200 Jahren von dem deutschen Arzt Samuel Hahnemann begründet wurde. Homöopathische Arzneimittel werden durch Verdünnen aus einer Ur-Tinktur – meist einem Extrakt aus Pflanzen – hergestellt. Je höher die Verdünnung ist, desto stärker soll angeblich die Wirkung sein.

Tollkirschen gegen Bauchkrämpfe

Wegerich gegen Kopfschmerzen

Die Medizin der Renaissance

Renaissance bedeutet Wiedergeburt. Was in der Epoche von 1450 bis 1600 in den Künsten und in den Wissenschaften wieder auf-

Wie entwickelte sich die Medizin in der Renaissance?

lebte, war das Gedankengut der klassischen Antike: Die Gelehrten studierten die Originaltexte der klassisch-römischen Zeit, entdeckten darin interessante Zusammenhänge und Gedanken, die im Mittelalter vergessen oder verloren gegangen waren, und entwickelten sie weiter. Sie glaubten auch nicht mehr bedingungslos ihren Lehrern, sondern zweifelten und begannen, selbst zu forschen und den Dingen eigenständig auf den Grund zu gehen. So wurde die Renaissance zur Wiege der modernen Medizin.

Am 31. Dezember 1514 wurde in Brüssel ein Junge namens Andies van Wesel geboren, der sich später Andreas Vesa-

Wie revolutionierte ein junger Mann die Medizin?

lius oder kurz Vesal nannte. Er stammte aus einer Familie von Ärzten und Apothekern und begann mit 14 Jahren, Medizin zu studieren. Bereits im Alter von 23 Jahren wurde Vesal Professor für Chirurgie und Anatomie an der Universität Venedigs in Padua. Dort pflegte er seine Leichen selbst zu zergliedern. Das war sehr ungewöhnlich, denn die meisten seiner Kollegen bevorzugten es, vom Katheter aus die Schriften des großen Lehrers Galen vorzulesen. Währenddessen versuch-

MENSCHENSKELETT

Während seiner Studienzeit an der belgischen Universität Löwen soll Vesal das Gerippe eines Verbrechers vom Galgen geknüpft, die einzelnen Knochen in einen Sack gesteckt und nach Hause getragen haben. In seiner Studentenbude hat er die Knochen gekocht, getrocknet und anschließend wieder fein säuberlich zu einem Skelett zusammengesetzt: das erste präparierte Menschenskelett der Welt.

Vesal war es wichtig, das Sezieren der Körper selbst vorzunehmen.

KURZE LEBENSZEIT

Der Tod ist im 16. und 17. Jahrhundert allgegenwärtig: Von 1000 neugeborenen Kindern erleben 250 nicht ihren ersten Geburtstag, etwa 500 werden nicht älter als 15 Jahre. Die durchschnittliche Lebenserwartung der Menschen auf dem Land beträgt nicht mehr als 30 Jahre.

te ein so genannter Prosektor, eine Art niederer Chirurg, die Lehren Galens am geöffneten Leichnam zu belegen. Vesal aber wollte selbst sehen, was Galen beschreibt, und das Zergliedern (Sezieren) nicht anderen überlassen. Denn schon in seiner Studentenzeit hatte er festgestellt, dass auch der große Galen irrte. Je mehr Leichen Vesal sezierte, desto mehr Fehler entdeckte er: In der Herzscheidewand konnte er nicht die von Galen beschriebenen Poren und im Innern des Herzens auch keinen Knochen entdecken, die Gebärmutter enthielt keine sieben Kammern und der Unterkiefer war nicht zweigeteilt. Insgesamt waren es 200 Fehler, die Vesal seinem übermächtigen Vorgänger nachwies. Galen hatte Tierkadaver seziert und das, was er dort sah, auf den

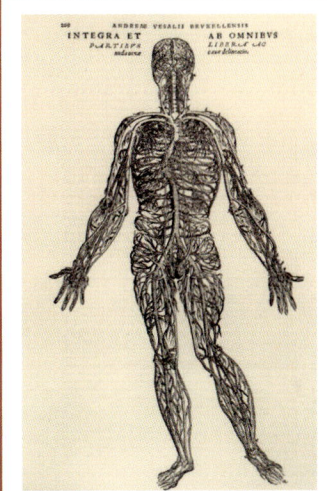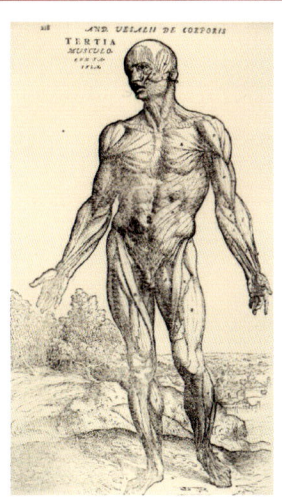

Mit nur 29 Jahren veröffentlichte Vesal das erste vollständige und mit aufwändigen Holzschnitten illustrierte Lehrbuch über den Bau des menschlichen Körpers.

Menschen übertragen. Und alle nachfolgenden Ärztegenerationen hatten auf Galen gebaut – über ein Jahrtausend lang.

Vesal hatte es entsprechend schwer, die Experten seiner Zeit davon zu überzeugen, dass Galen nicht mit allem Recht gehabt hatte. Selbst sein eigener Lehrer nannte ihn einen Verrückten und verteidigte Galen, indem er geschickt behauptete, der menschliche Körper habe sich eben seit den Untersuchungen Galens verändert. Unbeirrt davon veröffentlichte Vesal 1543 sein Hauptwerk „Sieben Bücher über den Aufbau des menschlichen Körpers". Es war das erste vollständige und mustergültig mit Holzschnitten illustrierte Lehrbuch der Anatomie. Trotz aller Widerstände setzten sich Vesals Erkenntnisse noch zu seinen Lebzeiten weitgehend durch. Heute gilt Vesal, der 1564 starb, als der bedeutendste Anatom des 16. Jahrhunderts.

DER BUCHDRUCK: EINE ERFINDUNG MIT FOLGEN

Zu den entscheidenden Neuerungen in der Renaissance, die auch die Medizin unmittelbar beeinflussten, zählt die Erfindung des Buchdrucks durch Johannes Gutenberg im Jahr 1450. Bücher mussten nun nicht mehr mühsam – und oft fehlerhaft – abgeschrieben, sondern konnten in größerer Anzahl gedruckt und verbreitet werden. Zum Vergleich: In einer mittelalterlichen Schreibstube brauchte ein Schreiber drei Jahre, um eine Bibel abzuschreiben; in etwa der gleichen Zeit konnte Gutenberg mit seinen beweglichen Lettern 180 identische Exemplare drucken. Die ersten medizinischen Bücher, die gedruckt wurden, waren Kräuterbücher. Bereits 1525 erschien in Venedig eine komplette Ausgabe der Werke Galens in lateinischer Sprache,

Der persische Philosoph und Arzt Avicenna schrieb den „Kanon der Medizin".

im selben Jahr auch die des Hippokrates. Im Jahr 1527 wurde der „Canon medicinae" des persischen Gelehrten Avicenna (980-1037) veröffentlicht. Er wurde zum Standardlehrbuch der Medizin an den Universitäten. Bis zum Beginn des 16. Jahrhunderts lagen die wichtigsten Quellen des antiken medizinischen Wissens in gedruckter Form vor.

Vielleicht war ihm sein Name einfach zu lang – sich selbst nannte er jedenfalls kurz Paracelsus, und unter diesem Namen ist er als Wegbereiter der neuzeitlichen Heilkunde in die Geschichte eingegangen.

Geboren wurde Paracelsus als Philippus Aureolus Theophrastus Bombastus von Hohenheim entweder 1493 oder 1494 in der Schweiz. Nach seiner medizinischen Studienzeit, die er angeblich im italienischen Ferrara verbracht hat, soll er auf der Suche nach der „wahren Medizin" zehn Jahre lang durch Europa gewandert und als Feldarzt tätig gewesen sein. Sein ärztliches Wissen, betonte er immer wieder, habe er nicht allein von den „Doctores" gelernt, sondern auch von „Scherern, Badern, Weibern, Schwarzkünstlern und Alchimisten".

Paracelsus war ein streitbarer Querdenker, der seine Kollegen schon

Paracelsus gründete die Heilkunst auf Erfahrung, Experiment und Naturbeobachtung.

mal als Quacksalber, Geldschneider und Nichtskönner bezeichnete. Er missachtete die „Schulmedizin" seiner Zeit. Statt stumpf aus alten Büchern auswendig zu lernen, solle der neue Arzt lieber zum „Buch der Natur" zurückkehren und selbst Erfahrungen sammeln. Die alten Lehren Galens lehnte er ab. Nur Hippokrates, der ebenfalls die praktischen Erfahrungen betonte, achtete er als medizinische Autorität.

Paracelsus betrachtete den Körper als chemisches System. Krankheiten sah er als Störungen an, die mit chemischen Mitteln – Arzneimitteln – heilbar waren. Dazu verwendete er Heilpflanzen und Mineralien, experimentierte mit Blei, Schwefel, Eisen und Arsen und verfeinerte die Therapie mit Quecksilber. Von Paracelsus stammt der heute noch berühmte Satz: „Alle Ding sind Gift und nichts ist ohn Gift. Allein die Dosis macht, dass ein Ding

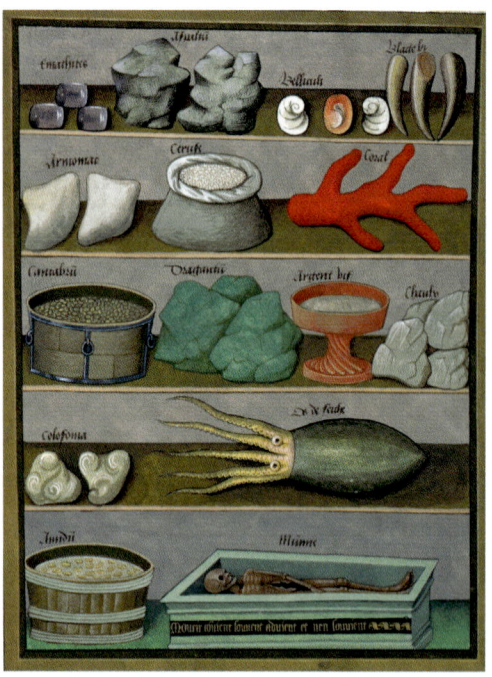

Aus verschiedenen Mineralien und organischen Stoffen fertigte Paracelsus Salben als Heilmittel für Wunden und Geschwüre.

ZIPPERLEIN

Von Paracelsus stammt der Begriff „Zipperlein". Er bezeichnete damit die Gicht, eine schmerzhafte Gelenkerkrankung. Dass er ein deutsches und kein lateinisches Wort verwendete, ist typisch für Paracelsus: Er war der erste bedeutende Arzt, der in medizinischen Schriften und in Vorlesungen nicht die Gelehrtensprache Latein, sondern seine deutsche Muttersprache benutzte – für die damalige Zeit eine Ungeheuerlichkeit.

AMBROISE PARÉ (1510-1590) gilt als der größte Chirurg der Renaissance. Sein Handwerk lernte er bei einem Barbier, weitere Erfahrungen sammelte er in Feldzügen, an denen er als Wundarzt teilnahm. Paré verfasste Schriften über die Behandlung von

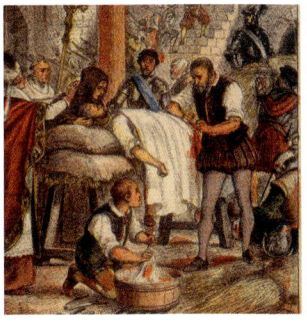

Schusswunden, verbesserte Operationsmethoden, konstruierte chirurgische Instrumente und fasste sein Wissen in den „Fünf Büchern über die Chirurgie" (1563) zusammen.

kein Gift ist." Aus der damaligen akademischen Welt katapultierte sich Paracelsus endgültig hinaus, als er während einer Mittsommerfeier in Basel Avicennas „Canon medicinae", das Standardlehrbuch der Medizin, verbrannte. Seine Bedeutung für die Medizin wurde erst im 19. Jahrhundert erkannt.

Im Jahr 1546 erschien ein Buch des Arztes Girolamo Fracastoro (1483-1553) aus Verona, in dem er darlegte, wie es zu übertragbaren Krankheiten kommt. Er machte dafür winzige Lebewesen, Keime, verantwortlich. Diese, so nahm er an, vermehrten sich im Körper des Kranken und verbreiteten sich entweder von Mensch zu Mensch oder über verunreinigte Gegenstände. Jede Krankheit, so meinte er, werde von einem bestimmten Keim hervorgerufen.

> **Verursachen winzige Lebewesen Krankheiten?**

Ob ein Mensch erkranke oder nicht, sei davon abhängig, in welchem Zustand sich der infizierte Organismus gerade befinde. Fracastaro beschrieb unter anderem Pocken, Masern, Pest, Tuberkulose und Lepra. Sein Buch war das erste zusammenfassende Lehrbuch der Infektionskrankheiten. Seine überraschend modern erscheinenden Ideen bestätigten sich im 19. Jahrhundert, als die ersten krank machenden Keime unter dem Mikroskop entdeckt wurden.

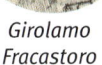

Girolamo Fracastoro

Einen Zahnarzt, wie wir ihn heute kennen, gab es früher nicht. Für die Zähne konnte sich jedermann zuständig fühlen – der Barbier, der Gliedereinrenker oder auch der Hufschmied.

Wie fließt das Blut durch den Körper?

Über zwei Jahrtausende dauerte es, bis die Ärzte wussten, wie sich das Blut durch den Körper bewegt. Galen hatte angenommen, das Blut entstehe in der Leber, die aus dem Nahrungsbrei in den Eingeweiden „Milchsaft" entnehme und in Blut umwandele. Von der Leber, glaubte Galen, gelange das Blut in Herz und Lunge, werde dann im Körper verteilt, komme zum Herzen zurück – um dort restlos zu versickern. Dem englischen Arzt William Harvey (1578-1657) gelang es schließlich, den wahren Weg des Blutes nachzuvollziehen. Durch sorgfältiges Beobachten, kluges Experimentieren und genaues Berechnen erkannte er, dass „der Schlag des Herzens eine fortgesetzte Kreisbewegung des Blutes" bewirkt.

Die Entdeckung, dass das Blut kreisförmig durch den Körper strömt und das muskulöse Herz als Pumpe arbeitet, war eine Sensation. Im Jahr

Pflanzen und Tiere, Gewebe von Menschen – alles, was unter das Mikroskop passte, untersuchte der italienische Forscher Marcello Malpighi und begründete die moderne mikroskopische Anatomie.

1628 veröffentlichte Harvey seine Erkenntnisse: Das 72 Seiten umfassende Büchlein schlug ein wie eine Bombe und spaltete die medizinische Welt in entschiedene Befürworter und erbitterte Gegner der „Zirkulationstheorie". Ein Ende fand der Streit erst, als Pierre Dionis, der Chirurg des französischen Sonnenkönigs Ludwig XIV., seinen Herrscher vom Blutkreislauf überzeugen konnte. Daraufhin verfügte der König per Erlass, dass das Blut in seinem Reich gefälligst zu zirkulieren habe.

MARCELLO MALPIGHI

Die Blutkreislauftheorie von William Harvey hatte eine entscheidende Lücke: Er konnte zunächst nicht erklären, wie das Blut aus den Arterien – den Gefäßen, die vom Herzen wegführen und das Blut in den Körper bringen – in die Venen gelangen soll, also in diejenigen Gefäße, die das Blut vom Körper zum Herzen zurückbringen. Diese Lücke konnte der italienische Naturforscher Marcello Malphighi (1628-1694) schließen. Er entdeckte mit einem damals brandneuen Instrument, dem Mikroskop, winzige „Brücken", so genannte Haargefäße (Kapillaren), die Arterien und Venen miteinander verbinden und so ein geschlossenen Blut-Kreislaufsystem schaffen.

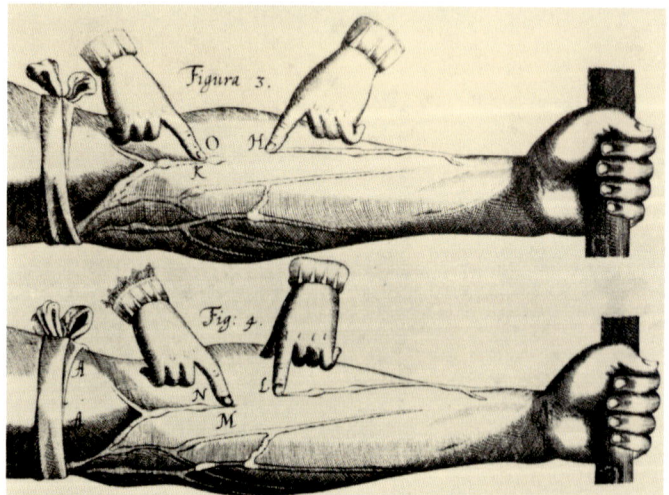

Der berühmte „Venendruckversuch" von William Harvey (oben) bewies, dass es einen geschlossenen Blutkreislauf geben muss.

SEHEN UND BEGREIFEN –
EINBLICKE IN DEN MIKROKOSMOS

DIE ANFÄNGE DER MIKROSKOPIE

Die ersten Lichtmikroskope kamen Ende des 16. Jahrhunderts auf. Sie dienten in erster Linie der Unterhaltung – die Menschen mikroskopierten alles, vorzugsweise die Flöhe in ihren Haaren. Einer der Ersten, der das Mikroskop zu wissenschaftlichen Zwecken einsetzte, war der holländische Tuchhändler Antony van Leeuwenhoek (1632-1723). Nachdem er den Belag seiner Zähne mit dem Mikroskop untersucht hatte, schrieb er in einem Brief an die Royal Society of London, eine wissenschaftliche Vereinigung, dass es in seinem Mund mehr Lebewesen gäbe als Menschen in den Niederlanden. Was er gesehen hatte, waren Bakterien. Leeuwenhoek beobachtete auch schon die Blutkörperchen und entdeckte die Querstreifen der Muskeln.

Leeuwenhoeks Mikroskop

DIE ZELLE

Das erste Buch, in dem Ergebnisse der Mikroskopie veröffentlicht wurden, erschien 1665 und stammte von dem englischen Naturforscher Robert Hooke (1635-1703). Die Objekte,

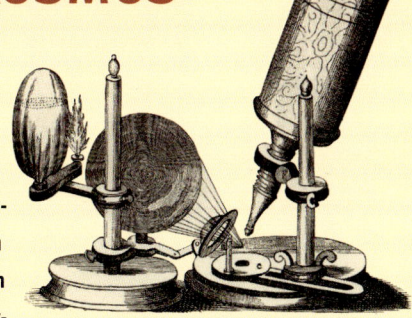

Hookes Mikroskop, links die Beleuchtungseinrichtung mit Öllampe

die er in seiner „Micrographia" beschrieb, reichten von der Spitze einer Nadel bis hin zum Facettenauge der Insekten. Von Robert Hooke stammte auch der Begriff „Zelle" für die grundlegendste Einheit des Lebens. Als Zellen bezeichnete man damals die Kammern eines Klosters. Solche Kammern sah Hooke, als er Kork unter dem Mikroskop beobachtete. Zuvor hatte er den Kork in dünne Scheiben geschnitten – und damit auch die bis heute übliche Präpariertechnik der Mikroskopie erfunden.

Zeichnung aus Micrographia: Korkzellen

Menschenfloh

IN DIE TIEFEN DES LEBENS

Mit bloßen Augen können wir zwei gedruckte Punkte nur dann getrennt wahrnehmen, wenn sie mehr als 0,1 Millimeter auseinander liegen. Das reicht beispielsweise, um die Spitze einer Stecknadel zu erkennen – die Bakterien darauf kann selbst der scharfsichtigste Mensch nicht mehr sehen. Ein modernes Lichtmikroskop hat ein Auflösungsvermögen von 0,001 Millimeter. Mit ihm kann man Objekte erkennen, die hundertmal kleiner als das winzigste Detail sind, das mit bloßem Auge eben noch zu erkennen ist. Das bedeutet: Die Bakterien auf einer Nadelspitze sind zu sehen – nicht aber, wie sie geformt

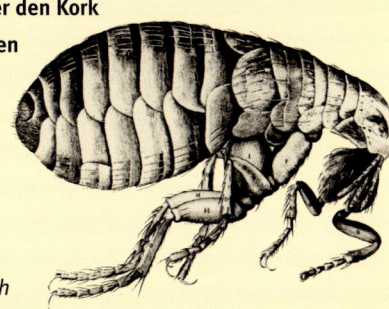

Facettenaugen eines Insekts mit dem Rasterelektronenmikroskop betrachtet

sind. Das Elektronenmikroskop hat eine Auflösungsgrenze von 0,000001 Millimeter. Das ist hunderttausendmal kleiner, als man mit bloßem Auge sehen kann. Mit ihm kann man selbst in das Innere des Bakteriums hineinblicken oder sein Erbgut betrachten. Ein so genanntes Rasterelektronenmikroskop hat nicht das große Auflösungsvermögen eines Elektronenmikroskops. Sein Auflösungsvermögen liegt bei 0,00001 Millimeter, das ist immerhin zehntausendfach besser als das menschliche Auge sehen kann. Es eignet sich jedoch besonders gut, um Oberflächen von Objekten, etwa von Bakterien oder von einem Schmetterlingsflügel, darzustellen.

Medizin im Zeitalter der Aufklärung

Als „Aufklärung" wird die geistesgeschichtliche Epoche bezeichnet, die Ende des 17. Jahrhunderts begann. Kennzeichnend für das

Was ändert sich im Zeitalter der Aufklärung?

Denken in diesem Zeitalter war, dass die Vernunft betont wurde: Der Mensch sollte seinen Verstand unabhängig von Zwängen und Autoritäten einsetzen. Er sollte eigenständig nachdenken und auf der Grundlage von Erkenntnissen, die er selbst gewonnen hat, Entscheidungen treffen.

Großen Einfluss auf die Medizin hatte der französische Philosoph Jean-Jacques Rousseau. Er war der Ansicht, dass die Menschen durch Erziehung und Bildung vor Elend und Not, aber auch vor Krankheiten bewahrt werden könnten.

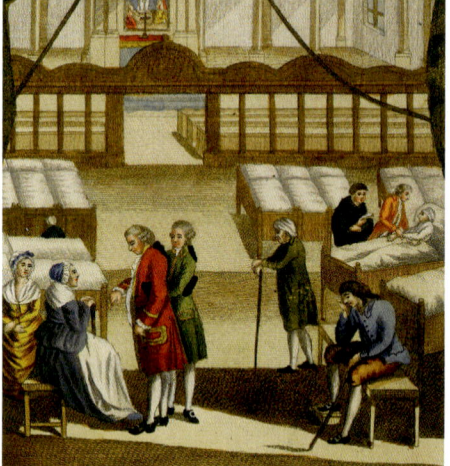

Ein Arzt bei der Visite im Krankenhaus, um 1794

Im Jahr 1710 wurde in Deutschland die noch heute berühm-

Wann entstehen die ersten Krankenhäuser?

te Berliner Charité gegründet, das erste staatliche Krankenhaus Preußens. Es ging aus einem ehemaligen Pesthaus hervor, das der Preußenkönig Friedrich 1. vor den Toren Berlins bauen ließ, um die Bevölkerung vor der herannahenden Seuche zu schützen. Glücklicherweise brauchte das Gebäude diesen Zweck nicht zu erfüllen und stand nun bereit, um Staatskrankenhaus zu werden. Es verfügte über einen Operationssaal, eine Infektionsabteilung, eine Abteilung für Geburtshilfe und rund 200 Betten.

Der Name Charité leitet sich von dem lateinischen Wort „caritas" (Barmherzigkeit) ab und wurde nicht ohne Grund gewählt.

Der Haupteingang der berühmten Berliner Charité in den 1920er-Jahren

CHIRURGIE

Dass sich die Chirurgie vom bloßen Handwerk, das von Barbieren und Badern ausgeführt wurde, zu einer experimentellen Wissenschaft wandelte, ist ein Verdienst von John Hunter (1728-1793), der im St. George's Hospital in London als Wundarzt arbeitete. Zu seinen Erfindungen zählt auch ein beweglicher Magenschlauch, mit dem Patienten künstlich ernährt werden konnten.

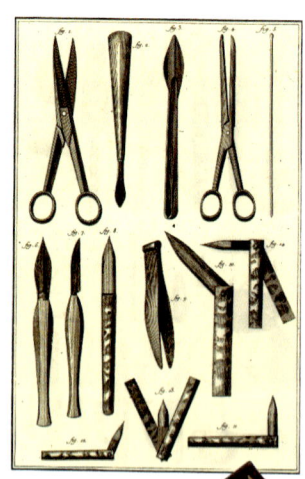

Chirurgische Instrumente

Säge, mit der Gliedmaßen amputiert wurden

Eine der bedeutendsten Errungenschaften des 18. Jahrhunderts ist die Entwicklung der Impfung als wirksamer Schutz vor den Pocken. Die Methode, die der englische Arzt Edward Jenner im Jahr 1796 einführte, verbreitete sich rasch in vielen Ländern und machte die gefürchtete Seuche zu einer vermeidbaren Krankheit. Allerdings gab es auch immer wieder böse Zungen, die behaupteten, nach dem Einimpfen von Kuhpocken werde sich der Mensch bald selbst in eine Kuh verwandeln.

Denn hier sollten in erster Linie Menschen behandelt werden, die sich keinen Arzt leisten konnten.

Ähnliche Einrichtungen entstanden im 18. Jahrhundert auch in anderen großen Städten, etwa das „Allgemeine Krankenhaus" in Wien. Von den seit dem Mittelalter existierenden Hospitälern unterschieden sich die neuen staatlichen Krankenhausanstalten dadurch, dass in ihnen nicht nur Kranke behandelt, sondern auch Ärzte ausgebildet wurden. Dieser „Unterricht am Krankenbett" war entscheidend für die Weiterentwicklung der Medizin.

Eine Spezialität der Aufklärungsmediziner war es, altbewährte Methoden der Volksheilkunde zu übernehmen. So nutzte der britische Arzt und Botaniker William Withering (1741-1799) im Jahr 1775 das Rezept einer Kräuterfrau, das sie mit erstaunlichen Erfolgen bei Patienten verwendete, die an „Wassersucht" litten. Allerdings kam es auch immer wieder zu Todesfällen. Wie sich herausstellte, enthielt der Trunk über 20 Pflanzenextrakte. Einer davon, der Extrakt des Roten Fingerhutes, erwies sich als der wirksame Inhaltsstoff. Withering ermittelte in Versuchen die richtige Dosis und behandelte seine „wassersüchtigen" Patienten fortan mit einem Fingerhut-Aufguss, der ihnen half, aber nicht mehr schaden konnte.

> **Welche Pflanze wurde zur ersten „modernen" Arzneipflanze?**

Die „Wassersucht", heute Herzmuskelschwäche genannt, war früher unheilbar.

Im Jahr 1785 beschrieb er in einem Buch die hervorragende Wirkung des aus den Blättern des Fingerhutes gewonnenen Wirkstoffs. Er nannte ihn „Digitalis", nach dem wissenschaftlichen Namen des Roten Fingerhutes „Digitalis purpurea".

Der Rote Fingerhut war die erste Arzneipflanze der modernen Medizin. Noch heute werden seine Inhaltsstoffe gewonnen und zur Behandlung der schweren Herzmuskelschwäche verwendet. Bei dieser Erkrankung sammelt sich Flüssigkeit in den Geweben des Körpers an – sie wurde deshalb früher als „Wassersucht" bezeichnet.

EIN MINIMENSCH IN JEDER KEIMZELLE?

Kinder sehen ihren Eltern, ihren Geschwistern oder Großeltern mehr oder weniger ähnlich. Heute weiß man, dass das daher kommt, weil sich die Erbanlagen (die Gene) der mütterlichen Eizelle und der väterlichen Samenzelle während der Befruchtung mischen. All das wussten die Menschen im 18. Jahrhundert noch nicht. Sie glaubten, dass im Ei oder in der Samenzelle ein „Homunculus", ein winziges, komplett ausgebildetes Menschlein, sitze, das nur darauf warte, heranzuwachsen. In der Sprache der Wissenschaft wird diese Vorstellung „Präformationslehre" genannt. Der deutsche Anatom Caspar Friedrich Wolff (1734-1794) widerlegte schließlich die Lehre, wonach alles schon im Keim vorgeformt sei: Er studierte die Entwicklung des Hühnchens im Ei, konnte aber nirgendwo ein noch so kleines „Minihühnchen" finden. Stattdessen beobachtete er, wie aus dem Dottermaterial nach und nach verschiedene Gewebe und Organe entstehen und der Körper in aufeinanderfolgenden Stadien zum Huhn heranreift.

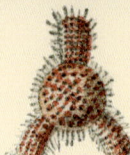

Mikrobenjäger: Die Medizin des 19. Jahrhunderts

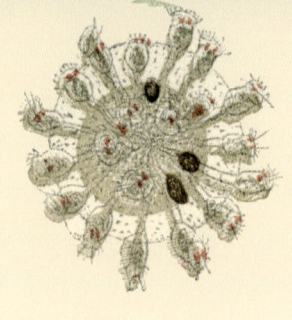

Historische Darstellung von winzigen, nur unter dem Mikroskop sichtbaren Lebewesen

Der deutsche Arzt Rudolf Virchow sah in der Zelle den Sitz der Krankheit.

Wann öffnete sich die Tür zum Mikrokosmos?

Im 18. Jahrhundert war das Mikroskopieren fast gänzlich aus der Mode gekommen. Erst im 19. Jahrhundert wurde das Mikroskop zum wichtigsten biowissenschaftlichen Instrument und öffnete die Tür zu neuen Welten. Vieles, was bislang unsichtbar geblieben war, wurde nun entdeckt. Der deutsche Naturforscher Matthias Schleiden (1804–1881) erkannte die Zelle als eigenständigen Grundbaustein der Pflanzen, der Anatom Theodor Schwann (1810–1882) bewies, dass dies genauso für Tiere gilt. Rudolf Virchow (1821–1902),

der bedeutendste Mediziner des 19. Jahrhunderts, weitete die neue Theorie auf den Menschen und das Entstehen von Krankheiten aus. Er begründete die so genannte Zellularpathologie, nach der die Zelle letztlich auch der Sitz der Krankheit ist. Virchow schrieb 1858: „Die Zelle ist das letzte Formelement aller lebendigen Erscheinungen sowohl im Gesunden als auch im Kranken, von welcher alle Tätigkeiten des Lebens ausgehen." Er erkannte außerdem, dass eine Zelle immer aus einer Zelle hervorgeht: „Wo eine Zelle ist, da muss eine frühere Zelle gewesen sein", formulierte Virchow, „genau wie ein Tier stets aus einem Tier und eine Pflanze stets aus einer Pflanze hervorgeht." Seine Ideen bestimmen die Medizin bis heute. Virchows Zellenlehre löste endgültig die Lehre vom Ungleichgewicht der Körpersäfte ab, die seit der Antike das Denken der Ärzte bestimmte.

ELEMENTARORGANISMUS

Die menschliche Zelle wird umgrenzt von einer Hülle, der Zellmembran. Im Innern befindet sich der Zellkern mit den Erbanlagen – das ist die „Kommandozentrale", in der alle Entscheidungen getroffen werden, die für das Leben einer Zelle wichtig sind. Es gibt noch zahlreiche weitere Strukturen, so genannte Organellen, mit eigenen Aufgaben: zum Beispiel Organellen für den Transport von Stoffen, für den Zusammenbau von Zellprodukten (Proteinen) oder für die Energiegewinnung und „Abfallbeseitigung".

Schwann studierte Gewebe von Tieren unter dem Mikroskop und hielt in seinen Zeichnungen fest, dass sie aus kleineren Gebilden, den Zellen, aufgebaut sind.

Pasteur erkannte, dass kleinste Lebewesen die alkoholische Gärung bewirken. Einzellige Pilze, die Hefen, sind die wichtigsten „Mitarbeiter" beim Herstellen von Getränken und Lebensmitteln.

Weinhefe

KLEINSTLEBEWESEN

Mikroben oder Mikroorganismen werden Lebewesen genannt, die meist aus nur einer Zelle bestehen und erst sichtbar werden, wenn man sie mit dem Mikroskop betrachtet. Zu diesen mikroskopisch kleinen Lebewesen zählen Pilze, Algen, so genannte Protozoen (Urtierchen) und Bakterien. Es sind nicht nur „Krankmacher" unten ihnen. Viele von ihnen tun auch Gutes. Sie helfen beispielsweise bei der Verdauung der Nahrung, wie das Bakterium Escherichia coli (rechts), das im Darm des Menschen lebt.

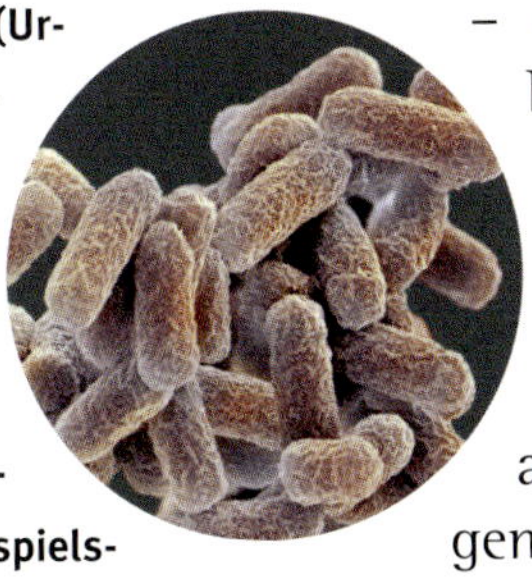

Wer begründete die Mikrobiologie?

Dass es winzige Lebewesen, Mikroorganismen, gibt, die das menschliche Auge nicht sehen kann, wurde bereits seit dem 16. Jahrhundert vermutet. Das Mikroskop machte sie erstmals sichtbar.

Der Begründer der Mikrobiologie – die Wissenschaft von den Mikroorganismen und Viren – war Louis Pasteur (1822-1895). Der französische Chemiker hatte es sich zu seiner Lebensaufgabe gemacht, gegen Krankheit und Tod zu kämpfen. Er zeigte zum ersten Mal, dass Mikroorganismen daran beteiligt sind, wenn Äpfel faulen oder Weintrauben gären. Und er entwickelte die Idee, Keime durch Hitze abzutöten und Lebensmittel auf diese Weise haltbar zu machen. Dieses Verfahren nennt man pasteurisieren. Noch heute wird es angewandt, etwa um zu verhindern, dass Milch schnell sauer wird.

Pasteur entwickelte auch Impfungen gegen Hühnercholera, Milzbrand und Tollwut. Er benutzte dazu abgeschwächte Krankheitskeime, die keinen Schaden mehr anrichten, wohl aber das Immunsystem, die körpereigene Abwehr, auf den Plan rufen. 1888 gründet er das berühmte Pasteur-Institut in Paris, dessen Wissenschaftler noch heute Infektionskrankheiten erforschen, etwa die Immunschwäche Aids.

Zu den vielen medizinischen Neuerungen, die Pasteur (Mitte) zu verdanken sind, zählt auch eine Impfung, die vor dem Erreger von Milzbrand, einer Tierkrankheit, schützt.

Was sind die Verdienste von Robert Koch?

Weltreisender und Entdecker wäre Robert Koch (1843-1910) gerne geworden, so wie sein Vorbild Alexander von Humboldt. Doch Koch machte seine Aufsehen erregenden Entdeckungen nicht in der Ferne, sondern im menschlichen Körper. Bis heute prägen seine Entdeckungen die moderne Medizin.

Als junger Landarzt in Posen erlebte Koch Tag für Tag, wie machtlos die Medizin gegen ansteckende Krankheiten war. Er begann, sich mit den Ursachen zu beschäftigen.

Die erste krank machende Mikrobe, die Koch nach aufwändigen Experimenten im Jahr 1876 entdeckte, war das Bacillus anthracis, ein Bakterium, das die Tierseuche Milzbrand verursacht. Fünf Jahre später wies Koch den Erreger der Tuberkulose nach, eine der gefährlichsten Infektionskrankheiten zur damaligen Zeit. Die „Schwindsucht", dachten die Menschen früher, entstehe durch schlechte Ernährung oder werde vererbt.

Im Jahr 1883 reiste Koch nach Ägypten und fand im Darm von Menschen, die an Cholera gestorben waren, ein auffällig gekrümmtes

Robert Koch (Mitte, mit Tropenhelm) unternahm weite Reisen, unter anderem 1900 nach Neuguinea, um die Malaria zu erforschen.

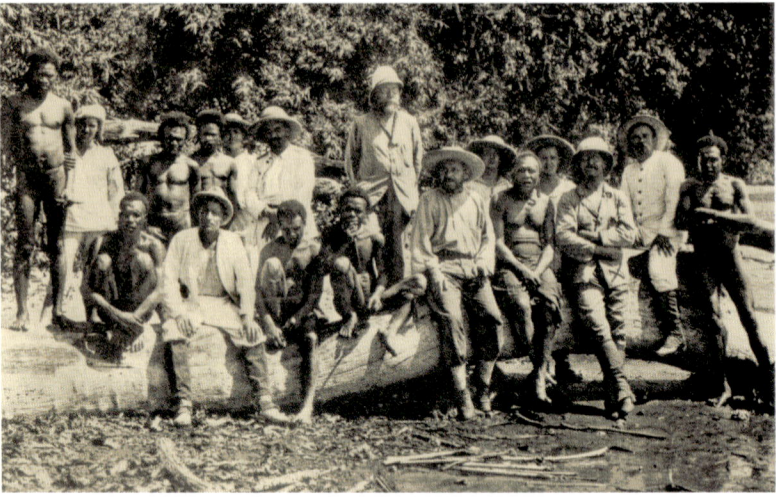

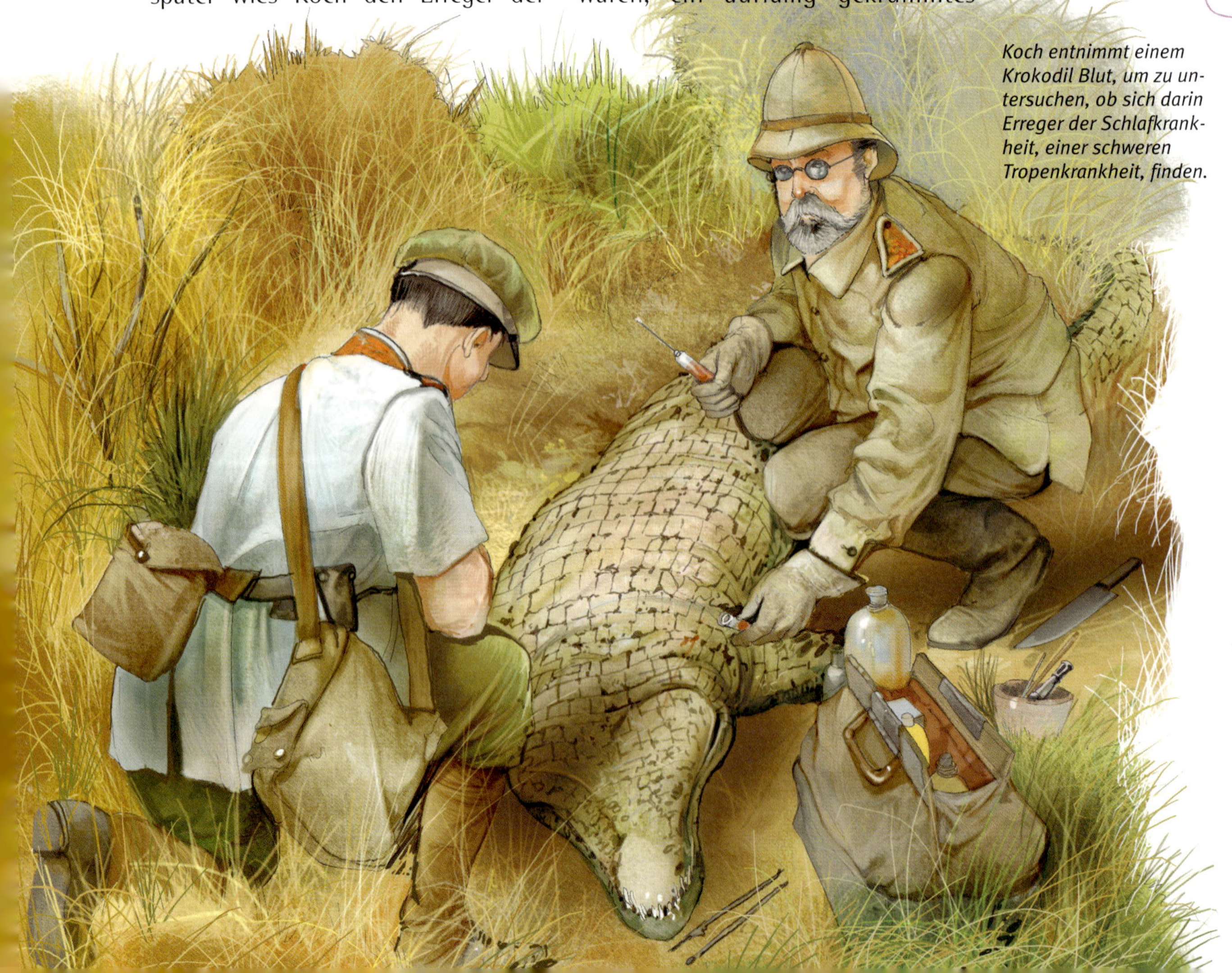

Koch entnimmt einem Krokodil Blut, um zu untersuchen, ob sich darin Erreger der Schlafkrankheit, einer schweren Tropenkrankheit, finden.

Die **CHOLERA** ist eine Darmkrankheit, die mit Durchfällen und Erbrechen einhergeht. Der Körper kann dabei so viel Flüssigkeit verlieren, dass die Menschen regelrecht austrocknen. Die Verursacher der Krankheit, die Kommabakterien (unten), gelangen meist mit verunreinigtem Trinkwasser in den Körper und vermehren sich im Darm. Der letzte große Choleraausbruch in Deutschland ereignete sich 1892 in Hamburg. Koch erkannte, dass sich die Seuche entlang des Wasserleitungssystems ausbreitete.

Das Heilserum gegen die Diphtherie wurde aus dem Blut von Tieren gewonnen.

Bakterium, das Koch wegen seines Aussehens „Kommabazillus" nannte. Aus seiner Entdeckung folgerte er, dass die Cholera-Seuchen ausbrechen, weil die winzigen Lebewesen sich von Mensch zu Mensch verbreiten. Und er erkannte, was zu tun ist, um dem entgegenzuwirken: Menschen, die sich angesteckt haben, empfahl Koch, sollten isoliert, Kleider und Bettwäsche desinfiziert und das Trinkwasser abgekocht werden. Zahlreiche von der Cholera gequälte Städte ergriffen diese Maßnahmen – mit großem Erfolg: Die Seuche endete vielerorts abrupt. Für seine bahnbrechenden Arbeiten erhielt Robert Koch im Jahr 1905 den Nobelpreis für Medizin.

Die „schwerste der 903 Todesarten" – so nennt der Talmud, das Hauptwerk des Judentums, die Diphterie. Von dieser Infektionskrankheit waren früher vor allem Kinder betroffen: Sie erstickten und niemand konnte das abwenden. In Deutschland forderte die Krankheit besonders in der zweiten Hälfte des 19. Jahrhunderts zahllose Opfer. Allein in Preußen starben in den Jahren von 1881 bis 1886 jährlich 36 000 Kinder unter fünf Jahren.

1884 entdeckte der Arzt Friedrich Löffler (1852-1915), ein Mitarbeiter Robert Kochs, unter dem Mikroskop die winzigen

Mächtige Gitter und Feuer sollten verhindern, dass Seefahrer Infektionskrankheiten aus fernen Ländern einschleppen.

Verursacher des schrecklichen Todes: unbewegliche, stabförmige Bakterien. Sie produzieren ein Gift, das zu den stärksten biologischen Giften zählt, die man kennt.

Im Jahr 1890 entwickelte der Bakteriologe Emil von Behring (1854-1917) ein Heilserum gegen die Diphterie. Am Heiligen Abend des Jahres 1891 wurde ein Mädchen in Berlin zum ersten Mal mit dem Serum behandelt. Wenige Tage später hatte sich das Kind von seiner Krankheit erholt und Emil von Behring wurde als „Retter der Kinder" gefeiert.

Emil von Behring, der „Retter der Kinder"

Später entwickelte Behring noch einen Impfstoff zum Schutz vor einer Ansteckung mit dem Diphterieerreger. Heute ist die Krankheit in Deutschland fast vergessen. In vielen anderen Ländern aber, vor allem dort, wo Elend, Armut und Not herrschen, ist der Diphterieerreger noch immer eine Gefahr für die Menschen.

> ### Wer war der „Retter der Kinder"?

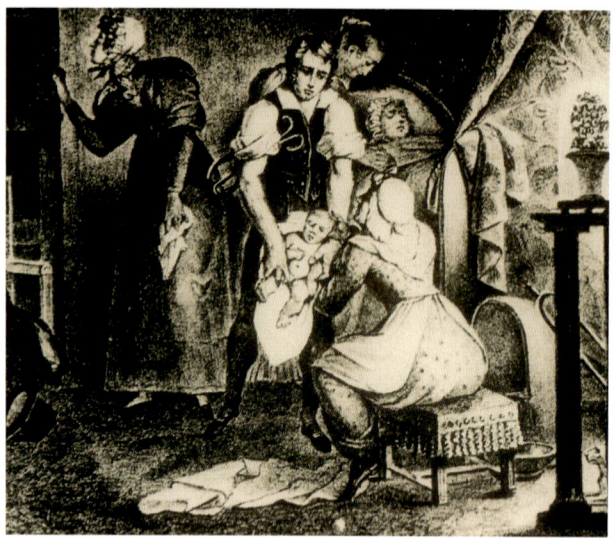
Eine Geburt war früher mit großen Risiken verbunden – sowohl für die Gebärende als auch für das Kind.

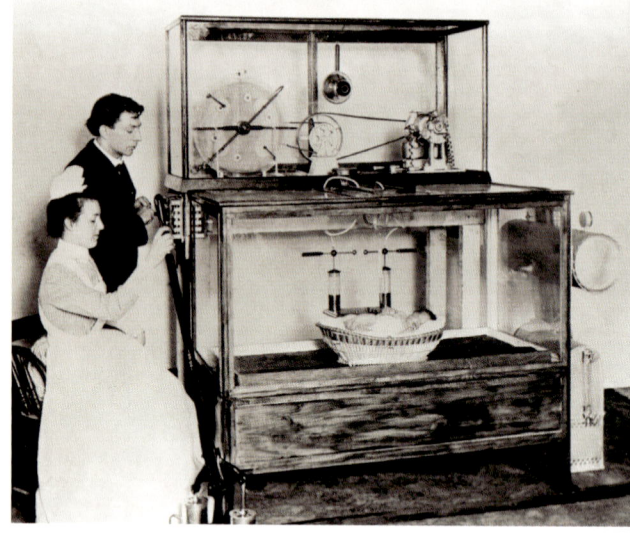
Zu früh geborene Kinder haben seit 1881 eine bessere Überlebenschance: In diesem Jahr wurde der erste Brutkasten eingeführt.

Wie rettete ein junger Arzt Müttern das Leben?

Eine Geburt war bis weit in das 19. Jahrhundert hinein nicht immer ein freudiges Ereignis. Gefürchtet war besonders das „Kindbettfieber", an dem viele Mütter nach der Geburt erkrankten. Die Krankheit ging mit hohem Fieber einher und endete fast immer tödlich.

Erst der junge ungarische Arzt Ignaz Philipp Semmelweis (1818-1865) entdeckte im Jahr 1847, wie es zu der Krankheit kam. Während seiner Zeit als Geburtshelfer in der Klinik der Universität Wien kam er zu dem Schluss, dass die Ärzte selbst die Quelle des Kindbettfiebers waren: Sie verunreinigten die Geburtswunden der Frauen, indem sie krank machende Keime mit ihren Händen übertrugen, wenn sie die Patientinnen untersuchten. Im März 1847 schlug Semmelweis daher vor, dass die Ärzte vor jeder Untersuchung Hände

Ignaz Philipp Semmelweis rettete mit seiner Entdeckung vielen Müttern das Leben.

und Instrumente mit einer desinfizierenden Chlorkalklösung reinigen. Diese einfache hygienische Maßnahme zeigte sofort überraschende Erfolge und senkte die Sterblichkeit der Mütter dramatisch.

Doch die Kollegen von Semmelweis waren zunächst misstrauisch. Zumeist erntete er von ihnen nur Spott und Hohn. Heute gilt Semmelweis als Begründer der Antisepsis. Darunter verstehen die Ärzte die Wundbehandlung: Krankheitserreger, die in eine Wunde eingedrungen sind, werden mit chemischen Mitteln abgetötet. 1867 benutzte der englische Chirurg Joseph Lister (1827-1912) erstmals die keimtötende Karbolsäure bei einer Operation, weitere Desinfektionsmittel folgten, Gummihandschuhe und Mundschutz kamen hinzu. Nach und nach verschwanden die Chirurgen aus den Operationssälen, die ihre Patienten im Frack operierten.

KINDERKRANKENHÄUSER

Im Jahr 1802 entstand in Paris das erste Krankenhaus für Kinder, 1830 richtete die Berliner Charité die erste deutsche Kinderklinik ein. Damals starben noch sehr viele neugeborene Kinder, in Großstädten überlebte nur jeder dritte Säugling. Haupttodesursachen waren vor allem schlechte Ernährung und Darminfektionen.

Vor dem Eingriff wird der Patient mit Äther betäubt: eine Szene aus einem Operationssaal um 1880.

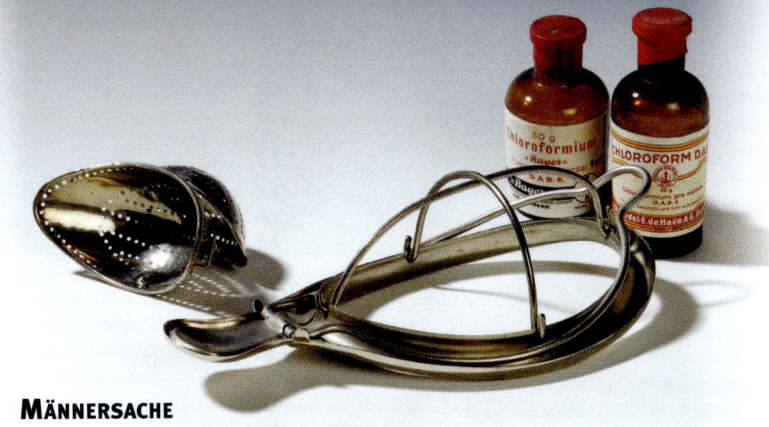

Medizinische Geräte für die Narkose: Über eine Metallmaske wurde den Patienten Chloroform verabreicht.

Seit wann gibt es Betäubungsmittel?

Seit dem Altertum versuchten die Ärzte, ihre Patienten vor schmerzhaften Eingriffen zu betäuben, etwa indem sie ihnen Alkohol einflößten oder Opium verabreichten. Das gelang mehr schlecht als recht. Bis ins 18. Jahrhundert hinein galt als praktisch einzig wirksame Methode, Schmerzen zu begrenzen, eine möglichst schnelle Operation. Von Dominique Larrey, dem Leibarzt Napoleons I., wird berichtet, er habe 1807 auf dem Schlachtfeld bei Minus 19 Grad Celsius schmerzlos Arme und Beine amputiert.

Im Jahr 1844 zog der amerikanische Zahnarzt Horace Wells erstmals einem Patienten einen Zahn, nachdem er ihn mit Lachgas betäubt hatte. Entdeckt worden war das schmerzdämpfende Gas bereits 1799 von einem Chemiker, der seine betäubende Wirkung in Selbstversuchen ausprobiert hatte. 1842 wurde

Die erste Demonstration einer Narkose misslang – eine schmerzliche Erfahrung für den Patienten.

Äther zur Narkose eingeführt, fünf Jahre später folgte Chloroform. Seither sind viele weitere Narkosemittel gefunden worden, darunter Curare, das als Pfeilgift der Indianer bekannt war. Hinzu kamen immer bessere Narkosegeräte und eine aufwändige medizintechnische Ausstattung.

Nach 1945 entwickelte sich die Anästhesie – damit gemeint sind alle Verfahren, mit denen eine vorübergehende Schmerzunempfindlichkeit erzeugt werden kann – zu einem eigenen Gebiet der Medizin. Dank der Anästhesie konnte sich die Chirurgie entscheidend weiterentwickeln. Heute ist keine Operation mehr ohne eine moderne Anästhesie denkbar.

Röntgenstrahlen & Antibiotika – das 20. Jahrhundert

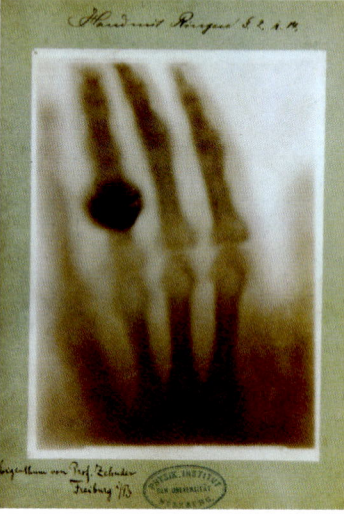

Eines der ersten Objekte, die Röntgen mit den Strahlen durchleuchtete, war die Hand seiner Ehefrau Anna Bertha.

Kann man mit unsichtbaren Strahlen in den Körper sehen?

Den ersten Nobelpreis, der jemals für Physik vergeben wurde, erhielt im Jahr 1901 ein Wissenschaftler, dessen Entdeckung so verwunderlich war, dass sie zunächst niemand glauben wollte: Wilhelm Conrad Röntgen (1845-1923) behauptete, mit unsichtbaren Strahlen in den Körper hineinsehen zu können. Röntgen hatte die durchdringende Kraft der energiereichen elektromagnetischen Wellen zufällig bei Experimenten am 8. November 1895 bemerkt. Er nannte sie zunächst „X-Strahlen", heute sind seine damals fantastisch erscheinenden Wellen als „Röntgenstrahlen" bekannt. Die ersten Röntgenbilder, die der Forscher anfertigte, zeigten ein Jagdgewehr, einen Holzkasten und eine Hand – die Hand von seiner Frau Anna Bertha.

Am 1. Januar 1896 verschickte Röntgen diese Bilder mit einem vorläufigen Bericht über seine Entdeckung an rund 100 Adressaten. Innerhalb kürzester Zeit verbreitete sich die Nachricht von der „neuen Art von Strahlen" in der ganzen Welt. Und schon bald nutzten Ärzte die Strahlen, um in die Körper ihrer Patienten hineinzusehen, ohne sie dazu öffnen zu müssen. Sie setzten sie beispielsweise ein, um zu erkennen, wo ein Knochen gebrochen

ZEITZEUGE

Ein Zeitzeuge schrieb zu den ersten Bildern von Röntgen: „Ein Finger ist mit einem Ring versehen, welcher noch dunkler als die Fingerknochen erscheint (…). Wenn ich Ihnen sage, dass diese Knochen nicht von einem Skelett sind, sondern am lebenden Menschen photographiert sind, so wird es fast wie ein Scherz und märchenhaft klingen."

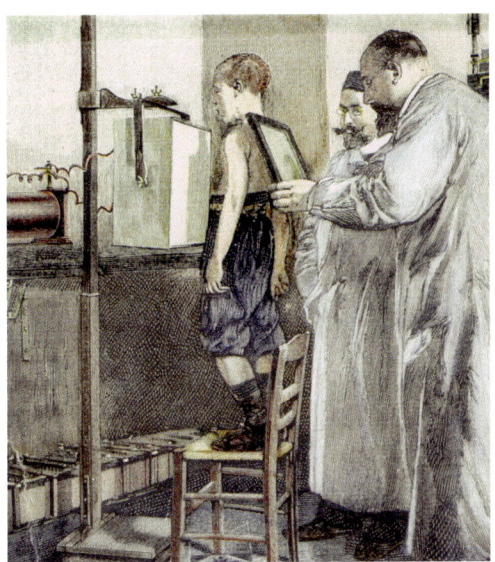

Rasch dienten die Röntgenstrahlen zur Diagnose von Krankheiten: Röntgen der Lunge um 1900.

Nicht gerade vertrauenerweckend: So sah eine Röntgenapparatur im Jahr 1904 aus.

und wie er am besten zu schienen ist. Später durchleuchteten sie mit den Röntgenstrahlen die Lunge, um etwa Tuberkulose festzustellen. Nicht nur zur Diagnose – also zum Erkennen von Krankheiten –, auch zur Therapie von Krebserkrankungen wurden die Röntgenstrahlen bald verwendet. Schon kurz nach 1900 setzten die Ärzte so genannte Kon-trastmittel ein, die es möglich machten, mithilfe der Röntgenstrahlen die Blutgefäße des menschlichen Körpers darzustellen. Und seit den 1920er-Jahren gehören Apparaturen zum Herstellen von Röntgenbildern zur Standardausrüstung vieler Arztpraxen. Heutzutage kann kaum ein Bereich der Medizin mehr auf Röntgenstrahlen verzichten.

Wilhelm Conrad Röntgen hat seine Entdeckung übrigens nicht zum Patent angemeldet: Er wollte keinen persönlichen Nutzen aus seiner Entdeckung ziehen – seine „X-Strahlen" sollten einzig dem Wohle der Allgemeinheit dienen.

DER SCHRECK DES JOURNALISTEN

Als Röntgen seine Entdeckung veröffentlichte, brach ein regelrechtes Röntgenfieber aus – mit oft kuriosen Auswüchsen. So berichtete eine britische Fachzeitschrift für Fotografie am 31. Januar 1896 von einem Journalisten aus Graz, der mit den mysteriösen „Zauberstrahlen" seinen Kopf durchleuchten lassen wollte, um anschließend darüber einen Arti-

Die Entdeckung fand in der Fantasie der Menschen wunderliche Anwendungen.

kel zu schreiben und mitsamt Bild im „Grazer Tageblatt" zu veröffentlichen. Die Röntgenaufnahme erfolgte – doch weder ein Artikel noch ein Bild erschienen in der Zeitung. Was war geschehen? Die Begründung musste ein Kollege des engagierten Reporters liefern. Er schrieb: „Nachdem er die Aufnahme gesehen hatte, verweigerte er absolut, dass das Bild irgendjemand anderem als Wissenschaftlern gezeigt werden dürfe. – Er hat kein Auge zugetan, seit er seinen eigenen Totenkopf gesehen hat."

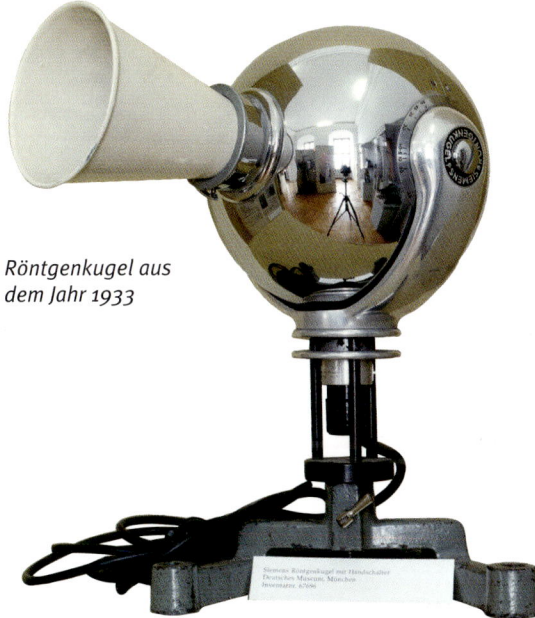

Röntgenkugel aus dem Jahr 1933

IN DEN KÖRPER SEHEN

Wie keine andere Methode zuvor wurden die Röntgenstrahlen unmittelbar nach ihrer Entdeckung für diagnostische Zwecke eingesetzt. Seither haben die Wissenschaftler die „bildgebenden Verfahren", also Methoden, die es erlauben, in den Körper hineinzusehen, erstaunlich weiterentwickelt.

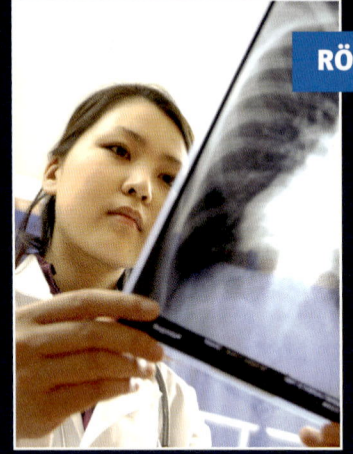

RÖNTGEN

Bei einer Röntgenuntersuchung werden die Gewebe des Körpers mit Röntgenstrahlen durchstrahlt, die in einer Röntgenröhre erzeugt werden. Die Strahlen haben die Eigenschaft, verschiedene Gewebe unterschiedlich gut zu durchdringen. Während Luft die Strahlen nahezu ungehindert durchtreten lässt, werden sie beim Durchtritt durch festes Körpergewebe, beispielsweise Muskeln oder Knochen, abgeschwächt. Diejenigen Strahlen, die den Körper durchdrungen haben, treffen auf ein Bildauffang-System und schwärzen dort den Röntgenfilm: Strahlendurchgängiges Gewebe, zum Beispiel die Lunge, erscheint deshalb schwarz; „röntgendichtes" Gewebe hingegen, etwa der Knochen, erscheint als helles Schattenbild.

Knochenbruch

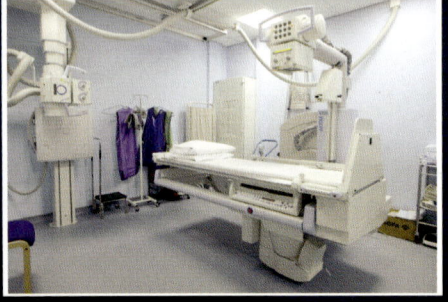

Moderner Röntgen-Untersuchungsraum

In den 1970er-Jahren wurde die Computertomografie, kurz CT, eingeführt. Auch

COMPUTERTOMOGRAFIE

sie arbeitet mit Röntgenstrahlen. Der Unterschied zum herkömmlichen Röntgen ist, dass der Körper Schicht für Schicht abgebildet wird und ein Computer die Aufnahmen auswertet. Auf diese Weise entstehen Bilder vom Innern des Körpers, auf denen Veränderungen noch deutlicher sichtbar werden. Die Positronen-Emissionstomografie, kurz PET, ist ein weiteres modernes bildgebendes Verfahren. Sie nutzt radioaktive Substanzen, um Bilder zu erzeugen, und hat den Vorteil, dass Stoffwechselvorgänge sowie die Funktion von Organen und Krankheitsherde direkt untersucht werden können. Es ist beispielsweise feststellbar, ob der Herzmuskel ausreichend durchblutet ist, ob die Nieren gut arbeiten oder ob sich in der Schilddrüse verdächtige Knoten gebildet haben.

CT-Bild eines Schlaganfall-Patienten – deutlich ist das Gerinnsel (rechts) zu erkennen.

Röntgenbild eines ausgekugelten Oberarmknochens

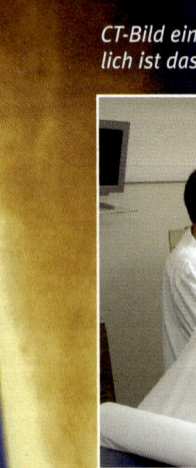

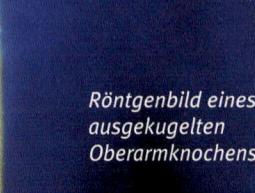

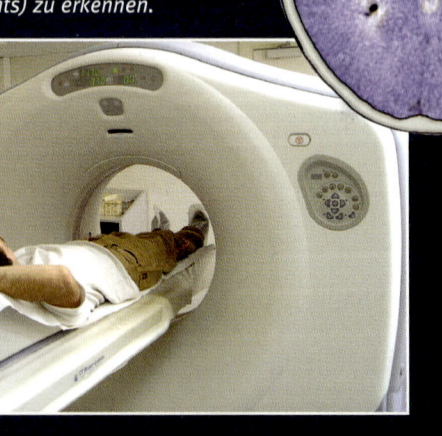

KERNSPINTOMOGRAFIE

Ohne Röntgenstrahlen kommt die Kernspintomografie aus, sie wird auch Magnetresonanztomografie (MRT) genannt. Dieses bildgebende Verfahren nutzt eine Eigenschaft der Wasserstoffatome im Körper aus, den so genannten Kernspin: Die Kerne der Wasserstoffatome gleichen nämlich kleinen Magneten, die wie Zinnsoldaten in einer Richtung stramm stehen, wenn sie von einem von außen angelegten, starken Magnetfeld gleichgeschaltet werden. Dieses Magnetfeld wird von großen Elektromagnetspulen im Innern des Kernspintomografen erzeugt. Wenn die Wasserstoffatome wieder in ihren ursprünglichen Zustand zurückspringen, senden sie elektromagnetische Wellen aus, die gemessen und mithilfe eines Computers zu Bildern verarbeitet werden können. Ein Kernspintomograf misst also den Wasserstoff- und damit den Wassergehalt von Organen und eignet sich deshalb besonders, um Weichteile, etwa Knorpel, oder Erkrankungen des zentralen Nervensystems zu untersuchen.

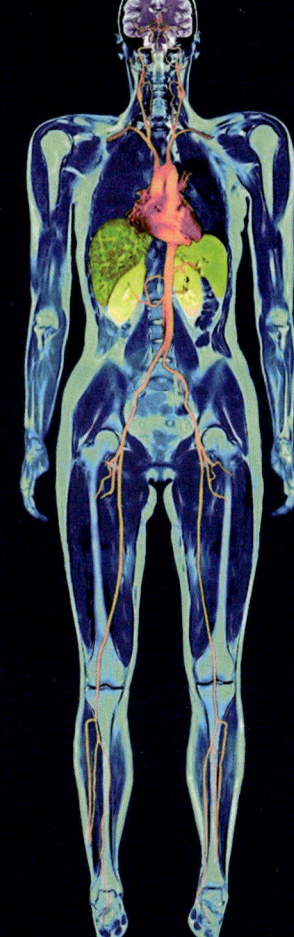

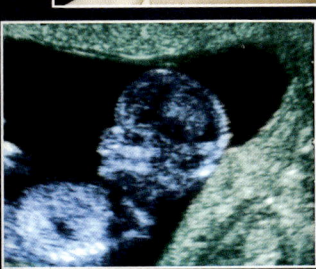

ULTRASCHALL

Schließlich kann der Körper mithilfe des Echolots, einer Erfindung aus dem Jahr 1913, erkundet werden. Dazu wird Schall verwendet und zwar ein spezieller Schall, der vom menschlichen Ohr nicht wahrgenommen werden kann, der Ultraschall. Die Methode – sie wird auch Sonografie genannt, nach dem lateinischen Wort „sonus" für Schall – wurde zum ersten Mal im Jahr 1942 an biologischem Gewebe angewandt, die ersten medizinischen Ultraschallgeräte gab es ab 1950. Zur Diagnose mit Ultraschall wird zuerst ein kurzer Ultraschallimpuls vom Schallkopf ausgesendet, anschließend schaltet der Kopf auf Empfang und registriert das reflektierte Echo. Das Ultraschallgerät verarbeitet es dann zu einem Bild. Ein Gel, das der Arzt zwischen Schallkopf und Körper aufträgt, verbessert den Kontakt. Die ersten „Fotos" von Kindern können mithilfe der Ultraschalltechnik bereits im Mutterleib gemacht werden.

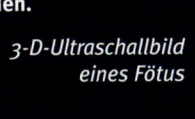

3-D-Ultraschallbild eines Fötus

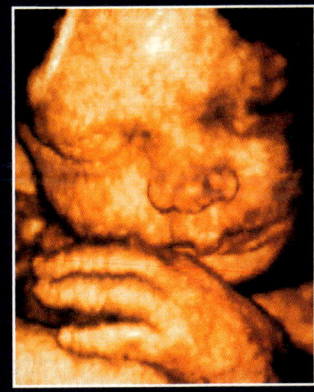

MEILENSTEINE

November 1895: Der Physiker Wilhelm Conrad Röntgen entdeckt in Würzburg die Röntgenstrahlen.

Januar 1896: Erste Röntgenaufnahme eines gebrochenen Unterarms

April 1896: Hautschäden und Haarausfall werden als Folge von Röntgen-Durchleuchtungen beschrieben.

1929: Der erste Herzkatheter wird unter Röntgen-Durchleuchtung gelegt – im Selbstversuch durch den deutschen Chirurgen Werner Forßmann. Forßmann erhält 1956 den Nobelpreis für Medizin.

1958: Erste Röntgen-Darstellung der Herzkranzgefäße mittels Herzkatheter und Kontrastmittel

1972: Erste Untersuchung von Patienten mithilfe der Computertomografie; die Aufnahmezeit beträgt mehrere Minuten.

1976/77: Erste Kernspintomografie-Aufnahme des Menschen; 1980 dauert eine Aufnahme fünf Minuten, 1986 nur noch fünf Sekunden.

1989: Mit der Spiral-Computertomografie werden dreidimensionale Aufnahmen des menschlichen Körpers möglich.

1989: Erste Darstellung von Blutgefäßen in der Kernspintomografie

1996: Die Kernspintomografie wird zum ersten Mal während einer Hirnoperation eingesetzt und ermöglicht den Chirurgen exakteres Arbeiten.

1998: Die virtuelle Endoskopie mittels Computertomografie oder Kernspintomografie wird vorgestellt; dazu zählt die virtuelle Darmspiegelung.

seit 2000: Bei der Kernspintomografie wird mit immer stärkeren Magnetfeldern experimentiert.

2003: Sir Peter Mansfield und Paul Lauterbur werden für ihre Verdienste bei der Entwicklung der Kernspintomografie mit dem Nobelpreis für Medizin ausgezeichnet.

Im Körper eines erwachsenen Menschen fließen etwa fünf bis sechs Liter Blut. Dass es sich dabei um einen ganz besonderen „Saft" handelt, ahnten die Menschen schon immer. Denn wer viel Blut verloren hatte, etwa nach einer schlimmen Verletzung oder einem schweren Unfall, starb. So kam es, dass man schon recht früh versuchte, mit Blutübertragungen (Transfusionen) Leben zu retten. Zunächst wurde dazu das Blut von Tieren be-

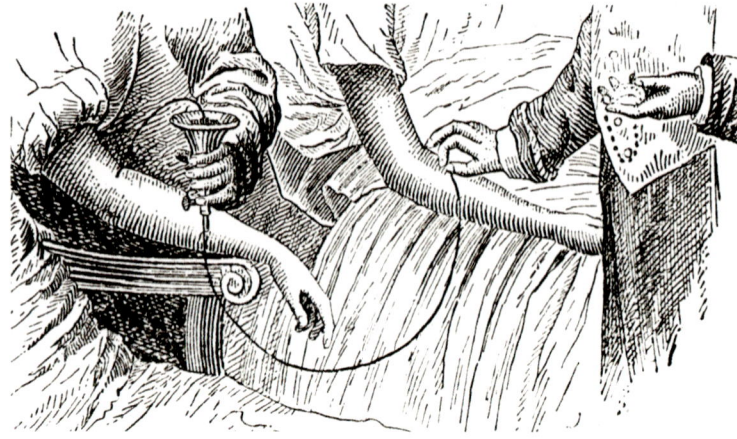

nutzt, was jedoch selten gut ausging. Im Jahr 1825 übertrug der englische Arzt James Blundell einer Frau, die bei einer Geburt sehr viel Blut verloren hatte, erstmals das Blut eines anderen Menschen. Tatsächlich konnte er seine Patientin damit vor dem Tod bewahren – der glückliche Ausgang der Transfusion war jedoch ein Zufall. Sonst kam es immer wieder zu Todesfällen, die niemand so recht erklären konnte.

Erst der österreichische Wissenschaftler Karl Landsteiner (1868-1943) konnte das Rätsel lösen. Er untersuchte im Jahr 1900 im Labor, wie Blutproben verschiedener Menschen miteinander reagieren. Dabei stellte er fest, dass das Blut mancher regelrecht verklumpte, wenn er es im Reagenzglas mit dem Blut anderer zusammenbrachte. Landsteiner erkannte, dass Blut nicht gleich Blut ist, sondern dass es verschiedene Blutgruppen gibt und man Blut nur dann erfolgreich übertragen kann, wenn die Blutgruppen von Spender und Empfänger zueinander passen. Damit legte Landsteiner den Grundstein für sichere Bluttransfusionen.

Heute wird nur noch selten Vollblut mit all seinen Bestandteilen übertragen. Die Patienten bekommen meist einzelne Bestandteile verabreicht, etwa die für den Transport von Sauerstoff unentbehrlichen roten Blutkörperchen.

Karl Landsteiner entdeckte, dass die Menschen verschiedene Blutgruppen haben.

Früher wurde das Blut von einem Spender unmittelbar auf den Empfänger übertragen.

Heute werden für Transfusionen Blutkonserven genutzt.

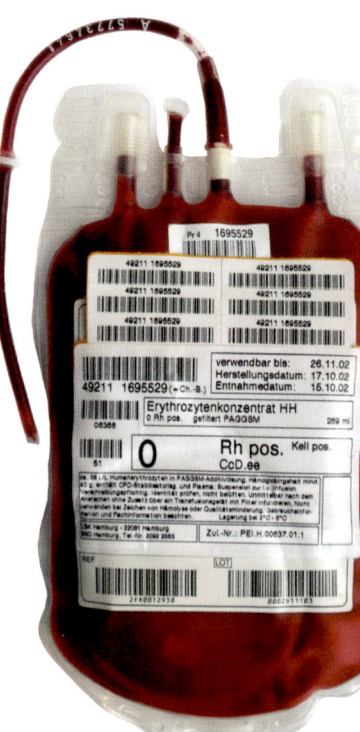

Voraussetzung für eine erfolgreiche Bluttransfusion ist, dass sich die Blutgruppen von Spender und Empfänger gleichen.

Wie wurde ein zuckerkranker Junge gerettet?

Die „Zuckerkrankheit" – Mediziner nennen sie Diabetes – heißt so, weil sich im Blut der erkrankten Menschen sehr viel Zucker findet. Die Patienten haben sehr starken Durst und Hunger und nehmen immer mehr ab. Schweren Erschöpfungszuständen folgte früher unaufhaltsam der Tod.

Das war das Schicksal der Patienten, bis ein kanadisch-amerikanisches Forscherteam im Jahr 1922 das Insulin entdeckte. Dabei handelt es sich um ein Hormon, das von der Bauchspeicheldrüse hergestellt wird und dafür sorgt, dass die Zellen Zucker aus dem Blut aufnehmen und daraus Energie gewinnen. Der Zuckerspiegel im Blut sinkt. Wird das Hormon nicht oder in nicht ausreichender Menge produziert, bleibt der Zucker ungenutzt im Blut.

Der erste Patient, dem die Entdeckung der Wissenschaftler zugute kam, war der 14-jährige Leonard Thompson. Als der Junge in das Krankenhaus von Toronto eingeliefert wurde, war er dem Tod nahe.

Charles Best (links) und Frederick Banting zusammen mit ihrer Versuchshündin Marjorie

Leonard Thompson

Dort traf er auf den Arzt Frederick Banting und den Wissenschaftler Charles Best, die die Zuckerkrankheit erforschten. Um ihm das Leben zu retten, spritzten sie ihm eine bräunliche Flüssigkeit, die sie zusammen mit dem Biochemiker James Collip aus den Bauchspeicheldrüsen von Tieren gewonnen hatten. Die erste Injektion am 11. Januar 1922 zeigte nicht den erhofften Erfolg. Wenige Tage darauf, am 22. Januar, wurde Leonard eine reinere Form verabreicht: Binnen weniger Stunden erholte sich der Junge, nach drei Tagen war sein zuvor extrem überhöhter Blutzuckerspiegel fast auf ein normales Maß gesunken. Leonard Thompson war der erste Zuckerkranke, dem Insulin – so wurde der Extrakt genannt – das Leben rettete. Heute ermöglicht Insulin zuckerkranken Menschen ein nahezu normales Leben. Heilen kann Insulin die Krankheit jedoch nicht – es ersetzt lediglich eine erloschene Körperfunktion.

Früher wurde Insulin aus getrockneten Bauchspeicheldrüsen von Tieren gewonnen. Heute stellen es Bakterien her, denen man das Gen für menschliches Insulin eingepflanzt hat.

„Antibiotika" werden Substanzen genannt, die von Kleinstlebewesen, beispielsweise Pilzen oder Bakterien, gebildet werden und andere krank machende Kleinstlebewesen im Wachstum hemmen oder abtöten. Ihre Entdeckung geht auf den schottischen Bakteriologen Alexander Fleming (1881-1955) zurück.

Er züchtete im Jahr 1928 im Londoner St. Mary's Hospital den Erreger der Blutvergiftung, ein Bakterium namens Staphylococcus aureus. Als er eines Tages die Kulturschalen kontrollierte, bemerkte er, dass sich auf dem Nährboden ein Schimmelpilz niedergelassen hatte. Er ärgerte sich: Die Reinkultur der Bakterien war nun für weitere Untersuchungen nicht mehr zu gebrauchen. Fleming wollte die verseuchte Schale schon wegwerfen – da beobachtete er Ungewöhnliches. Er hielt die Platte gegen das Licht und sah, dass die Bakterienkolonien einen dichten, trüben Rasen bildeten. Nur rund um den Pilz war ein klarer, breiter Ring zu sehen: Es schien, als habe der Pilz die Bakterien „aufgelöst". Fleming zog den richtigen Schluss aus seiner Zufallsentdeckung: Der Schimmelpilz Penicillium notatum sondert eine Substanz ab, die Bakterien tötet.

Im Jahr 1940 isolierten der australische Pathologe Howard Walter Florey und der deutsche Biochemiker Ernst Boris Chain einen Reinextrakt des „Penizillin". Im Februar 1941 wurde der erste Mensch mit Penizillin behandelt: der Polizeiwachtmeister Albert Alexander, der in einem Londoner Krankenhaus mit einer Blutvergiftung im Sterben lag. Das neue Medikament konnte ihm zunächst helfen – dennoch starb er, weil nicht genügend Penizillin verfügbar war. Wenig später wurde es möglich, das Antibiotikum in großen Mengen herzustellen. Im Jahr 1945 erhielten Fleming, Florey und Chain gemeinsam den Nobelpreis für Medizin.

Der britische Wissenschaftler Alexander Fleming entdeckte 1928 in seinem Labor zufällig eine Kulturschale mit Bakterien, die von einem Pilz verunreinigt worden war.

Rund um die Stelle, auf der sich ein Pilz auf dem Bakterienrasen niedergelassen hat, wachsen keine Bakterien (oben): Der Pilz tötet die Bakterien ab.

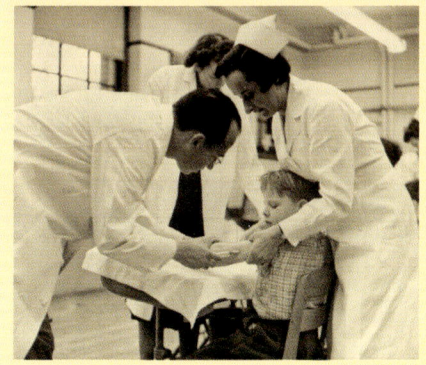

Den ersten Impfstoff gegen die Kinderlähmung, medizinisch Polio genannt, entwickelte der amerikanische Wissenschaftler Jonas Salk (links) Anfang der 1950er-Jahre aus abgetöteten Polioviren. Erfolgreiche Massenimpfungen wurden möglich, als der polnisch-amerikanische Mediziner Albert Sabin im Jahr 1955 die Schluckimpfung einführte. In Deutschland wurde sie unter dem Slogan „Schluckimpfung ist süß – Kinderlähmung ist grausam" berühmt. Sie verlief so vielversprechend, dass die Weltgesundheitsorganisation 1988 vorschlug, das Virus bis zum Jahr 2000 auszumerzen. Das Erreichen des Ziels hat sich verzögert, dennoch haben die erdumspannenden Impfaktionen das Ziel in greifbare Nähe gerückt: 1988 war das Poliovirus noch in rund 125 Ländern rund um den Globus zu Hause. Seit 1994 gilt der gesamte amerikanische Kontinent als poliofrei. Letzte Rückzugsgebiete findet das Virus immer wieder in den Elends- und Kriegsregionen Afrikas und Asiens. Gelingt es, das Polio-Virus auszuschalten, ist die Kinderlähmung nach den Pocken die zweite Menschheitsgeißel, die aus der Welt geschafft werden konnte.

Wie funktioniert das Impfen?

Die erste aktive Schutzimpfung erfolgte im Jahr 1796 durch Edward Jenner. Warum sie funktionierte, ahnte Jenner jedoch nicht: Der Arzt hatte das Immunsystem aktiviert, jene Armada von Zellen, die eingedrungene Krankheitserreger erkennen und abwehren kann. Die weniger gefährlichen Kuhpocken-Viren in Jenners Experiment hatten die Abwehrzellen von James Phipps in Alarmbereitschaft versetzt. Als dann die echten Pocken in den Körper des Kindes gelangten, trafen sie auf eine gut vorbereitete Front

körpereigener Abwehrtruppen. Dies ist das Prinzip jeder aktiven Schutzimpfung: Die Ärzte infizieren einen Menschen mit einem Krankheitskeim. Die Erreger im Impfstoff sind jedoch abgetötet oder so weit geschwächt, dass sie keine Erkrankung mehr auslösen können. Der Kontakt mit der harmlosen Variante des Erregers führt dazu, dass das Immunsystem Abwehrzellen und andere Abwehrprodukte gegen den Eindringling bildet. Dringen die wirklich gefährlichen Keime später in den Körper ein, „erinnert" sich das Immunsystem und aktiviert seine zuvor trainierten Verteidiger. Das Ergebnis: Der Erreger wird gestoppt, bevor er ernsthaften Schaden anrichten kann.

Nach dem gleichen Prinzip, das nicht nur bei Viren, sondern auch bei einigen bakteriellen Krankheitserregern funktioniert, haben die Wissenschaftler inzwischen Impfungen gegen Seuchen wie Grippe, Diphtherie, Gelbfieber, Hepatitis A und B und gegen so genannte Kinderkrankheiten wie Keuchhusten, Masern oder Röteln entwickelt.

Schutzimpfung für Kinder im Jahr 1946

Die Medizin der Zukunft

Watson (links) und Crick vor dem Modell der Erbsubstanz, das sie aus Pappe und Draht zusammengebastelt hatten.

Am 23. April 1953 erschien in einer berühmten wissenschaftlichen Zeitschrift der Artikel zweier Forscher namens James D. Watson (geboren 1928) und Francis Crick (1916-2004). Ihr Beitrag umfasste gerade einmal eine einzige Seite, aber er schilderte Zusammenhänge, die zu den wichtigsten Entdeckungen des 20. Jahrhundert zählen und die Biowissenschaften entscheidend beeinflussten.

> **Wann beginnt das neueste Kapitel der Medizin?**

Was Watson und Crick beschrieben, war die lange gesuchte Struktur der Erbsubstanz DNS, ein langes Molekül mit einem ebenso langen Namen: Desoxyribonukleinsäure. Sie erklärten gleichsam, aus was und wie der Stoff gewebt ist, aus dem unsere Erbanlagen (Gene) bestehen. Die Gene tief im Innern der Zellen entscheiden beispielsweise darüber, ob wir blaue oder braune Augen, blonde oder schwarze Haare haben, ob wir groß werden oder klein bleiben oder ob Sommersprossen unser Gesicht zieren. Wenn die einflussreichen Gene nicht korrekt arbeiten, können schwere Krankheiten entstehen oder begünstigt werden.

In der Medizin eröffnete diese Einsicht neue Möglichkeiten: Krankheiten konnte nun bis zu ihren Wurzeln nachgespürt werden – bis hin zu einzelnen veränderten Molekülen, den kleinsten Teilchen chemischer Verbindungen –, um darüber nachzudenken, wie man sie dort bekämpfen kann. Sei es mit neuen Methoden, wie einer Therapie mit Genen oder so genannten Stammzellen, oder mit Medikamenten, die präzise an den veränderten Molekülen ansetzen, deshalb besser wirken und weniger Nebenwirkungen haben. Damit war die „molekulare Medizin" geboren. Sie machte sich die neuen Erkenntnisse der Molekular- und Zellbiologie zunutze, um Krankheiten früher zu erkennen und wirkungsvoller zu behandeln.

Wie eine Strickleiter ist das Erbmolekül gebaut. Es besteht nur aus wenigen Bausteinen, enthält aber alle genetischen Informationen, die ein Lebewesen braucht.

EIN GEN IST ... ein aus der Kommandozentrale im Zellkern stammendes Rezept, das die Produktionsabteilungen der Zelle anweist, ein bestimmtes Protein herzustellen. Proteine wiederum sind die Bausteine des Lebens – nichts in einem lebenden Wesen kann ohne Proteine ablaufen.

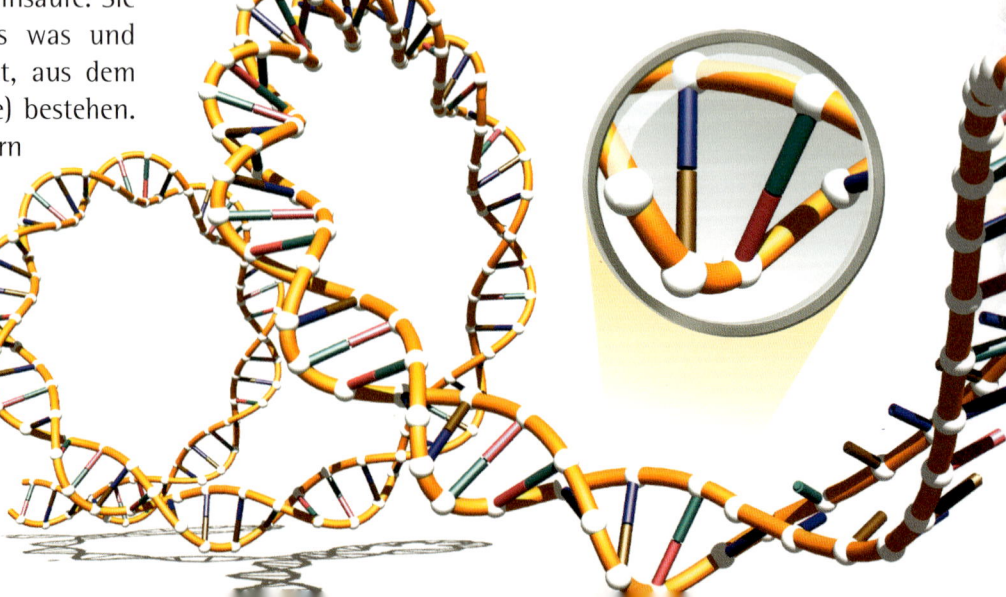

Kann man mit Genen Krankheiten erkennen?

Die Wissenschaftler kennen heute alle „Buchstaben" – sie sprechen chemisch korrekt von Basen – und die Reihenfolge, in der sie sich zu unserem Erbmolekül zusammenfügen. Und sie wissen, dass das Erbgut des Menschen aus etwa 20 000 bis 25 000 „Sinneinheiten", den Genen, besteht. Von vielen – längst jedoch noch nicht von allen – Genen ist bekannt, welche Aufgabe sie erfüllen und was passiert, wenn sie fehlerhaft arbeiten oder ausfallen. Anhand solcher Gene lässt sich ablesen, ob ein Mensch an einer bestimmten Krankheit erkranken wird oder für eine Krankheit anfällig ist.

Dazu kann man so genannte Biochips nutzen. Die Wissenschaftler nennen sie DNS-Chips oder „Micro-Arrays". Das sind etwa daumennagelkleine Trägerplättchen, auf die Abschnitte des Erbguts geklebt werden. Mit solchen Chips kann man das Erbgut analysieren und krank machende Gene aufspüren. Bislang werden Genchips vor allem in der Forschung eingesetzt. Die Hoffnung ist, dass man sie eines Tages routinemäßig in Krankenhaus oder Arztpraxis verwenden kann, um Krankheiten rasch zu erkennen und gezielter zu behandeln. Derzeit ist bereits ein Chip verfügbar, mit dem Untergruppen von Blutkrebserkrankungen bestimmt und wirkungsvoller bekämpft werden können. Es gibt auch Chips, die darauf hinweisen, wie schnell oder langsam der Körper bestimmte Arzneimittel verarbeitet. Das kann dem Arzt dabei helfen, Medikamente auszuwählen, die für seinen Patienten besonders gut geeignet sind und möglichst wenige Nebenwirkungen haben.

Bakterien besitzen ringförmige Erbmoleküle, die Plasmide. Sie werden von Gentechnikern als „Taxis" benutzt, um Gene in Zellen einzuschleusen.

Können Gene Krankheiten heilen?

In den 1990er-Jahren setzten Wissenschaftler große Hoffnungen in die „Gentherapie". Das meint: Ein defektes Gen soll gegen ein gesundes Gen ausgetauscht werden, um Erbkrankheiten oder andere schwere Krankheiten wie Krebs zu heilen. Was so einfach klingt, ist ein schwieriges Unterfangen. Bislang konnten die Gentherapeuten die großen Erwartungen nicht erfüllen. Die Forscher arbeiten derzeit an Methoden, mit denen die Gentherapie verbessert werden kann. Vor allem wollen sie geeignete „Spediteure" finden, die heilende Gene zuverlässig und sicher in Zellen des menschlichen Körpers einschleusen. Falls sich die Hürden überwinden lassen, könnte die Gentherapie für Krankheiten, an denen einzelne Gene „schuld" sind, wichtig werden. Für das Entstehen der meisten Krankheiten aber sind viele verschiedene Gene verantwortlich. Gegen diese Krankheiten wird eine Gentherapie in den nächsten Jahrzehnten kaum etwas ausrichten können.

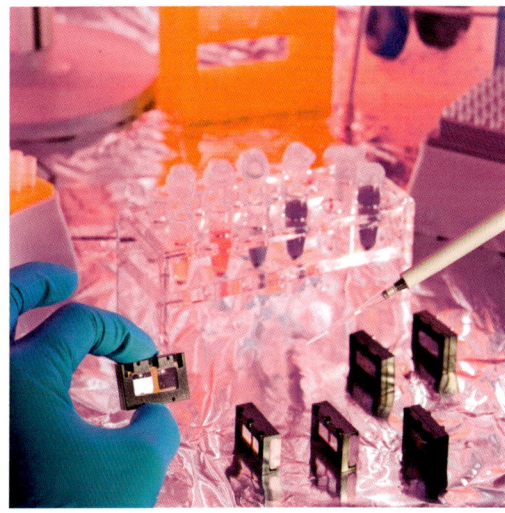

„Genchips" dienen der Forschung; neuerdings werden sie auch genutzt, um Krankheiten zu erkennen.

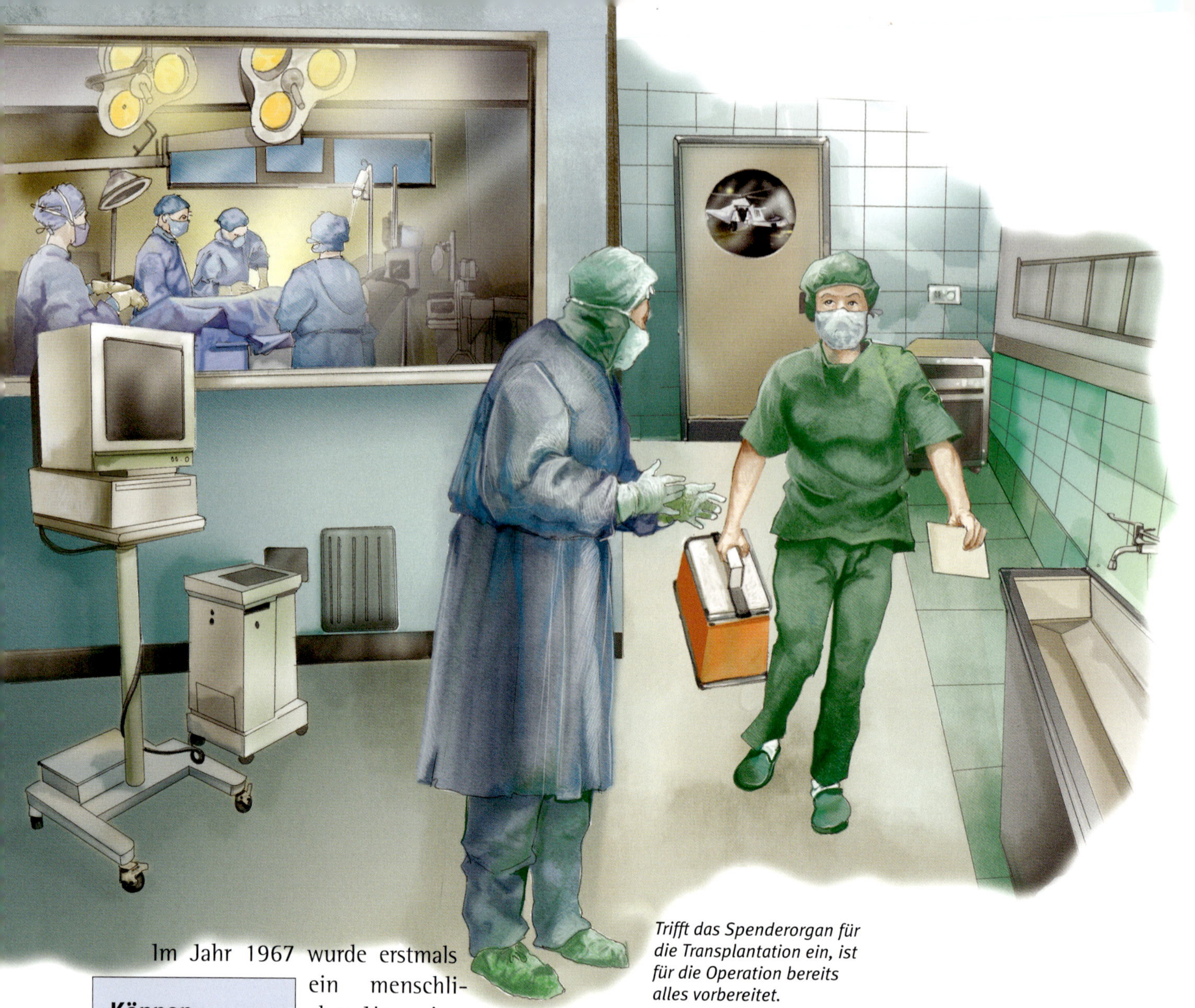

Trifft das Spenderorgan für die Transplantation ein, ist für die Operation bereits alles vorbereitet.

Im Jahr 1967 wurde erstmals ein menschliches Herz einem anderen Menschen eingepflanzt. Wirklich erfolgreich wurde

Können Organe im Labor wachsen?

die „Transplantationsmedizin" aber erst, als es ab Mitte der 1970er-Jahre Medikamente gab, die verhindern, dass der Empfänger das fremde Organ wieder abstößt. Heute können die Ärzte vor einer Transplantation außerdem feststellen, inwieweit die Gewebemerkmale von Empfänger und Spender genetisch übereinstimmen. Es gibt nahezu kein Organ, das Transplantationsmediziner heute nicht verpflanzen können – woran es fehlt, sind genügend

Spenderorgane. Dieses Problem wollen Wissenschaftler lösen, indem sie bei Bedarf passende Organe im Labor „nachbauen", beispielsweise ein Ersatzorgan für ein krankes Herz oder eine kranke Niere.

Noch ist es den „Bioingenieuren" aber nicht gelungen, solch komplexe Organe außerhalb des Körpers heranwachsen zu lassen. Was es derzeit schon gibt, ist eine Ersatzhaut für Verbrennungsopfer. Auch Knorpelschäden in Gelenken lassen sich mit Knorpelzellen, die im Labor vermehrt wurden, reparieren.

ERSATZHAUT

Im Jahr 1975 gelang es erstmals, menschliche Hautzellen außerhalb des Körpers im Labor zu vermehren. Später erhielten schwer verbrannte Patienten zum ersten Mal Hauttransplantate, die aus ihren eigenen Zellen herangezüchtet wurden (unten).

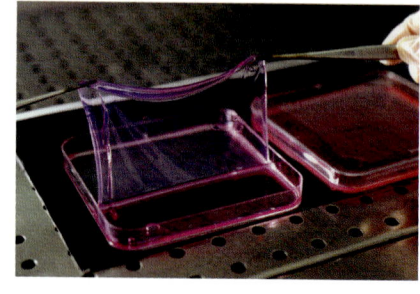

Sind Stammzellen Alleskönner?

„Stammzellen" nennen Wissenschaftler diejenigen Zellen, von denen alle Zellen der etwa 200 Zelltypen unseres Körpers abstammen, etwa die roten und weißen Blutkörperchen, die Fett- und Nervenzellen oder die Muskel-, Leber- und Nierenzellen.

Solche Stammzellen finden sich in befruchteten Eizellen, die erst wenige Tage alt sind (embryonale Stammzellen). Sie teilen sich unentwegt und reifen zu Geweben oder zu einem Organ heran. Die Zellen erhalten während der Reifung des Organismus gleichsam eine Berufsausbildung und werden zu Spezialisten mit besonderen Aufgaben, etwa zu Nervenzellen, deren Aufgabe es fortan ist, elektrische Reize zu übertragen.

Stammzellen gibt es auch im erwachsenen Organismus. Dort sind sie allerdings weniger zahlreich vertreten, und sie sind auch nicht mehr ganz so „verwandlungsfreudig" wie

Stammzellen des Menschen

die Stammzellen des Embryos. Ein Beispiel sind die Blutstammzellen. Sie sind im erwachsenen (adulten) Organismus im Knochenmark zu finden; aus ihnen gehen fortwährend neue Blutkörperchen hervor. Auch im Gehirn, in der Haut und in der Leber haben die Wissenschaftler mittlerweile adulte Stammzellen entdeckt.

In Stammzellen setzt die Medizin große Hoffnungen: Kann man sie verwenden, um schwere Krankheiten zu heilen? Kann man mit ihrer Hilfe beispielsweise Querschnittsgelähmte wieder gehen lassen, zuckerkranke Menschen heilen, dem Herz nach einem Infarkt seine Kraft zurückgeben oder vollständige Organe für eine Transplantation züchten? Noch ist es nicht so weit: Bis Stammzellen für solche medizinischen Zwecke verfügbar sind, müssen die Forscher die vermeintlichen „Alleskönner" noch viel besser kennenlernen.

KANN MAN BABYS IM REAGENZGLAS ZÜCHTEN?

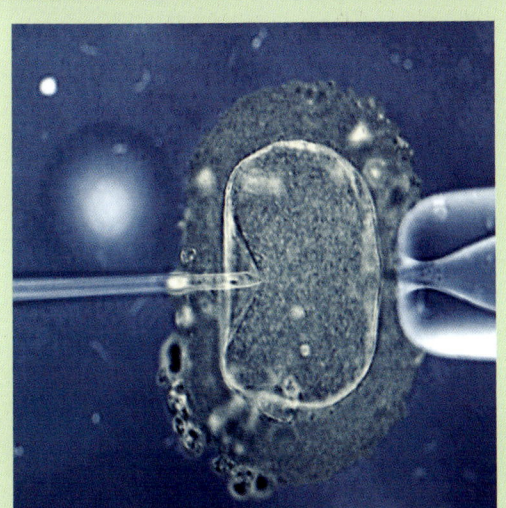

Eine weibliche Eizelle wird unter dem Mikroskop mithilfe einer Injektionsnadel befruchtet, die Spermien enthält.

Das erste Baby „aus der Retorte" wurde im Jahr 1967 geboren. „Aus der Retorte" heißt: Die Ärzte haben im Reagenzglas eine Eizelle der Mutter mit Samenzellen des Vaters zusammengebracht. Das Kind wird also nicht im Leib der Mutter, sondern „im Reagenzglas" gezeugt. Diese Zeugung wird häufig angewandt, wenn sich Paare ein Kind wünschen, es auf natürlichem Wege aber nicht bekommen können. Im Reagenzglas heranwachsen kann das Kind natürlich nicht: Nach wenigen Tagen wird der Embryo in den Körper der Mutter verpflanzt und reift in deren Gebärmutter bis zur Geburt heran. Allein in Deutschland wachsen derzeit 100 000 im Reagenzglas gezeugte Kinder auf.

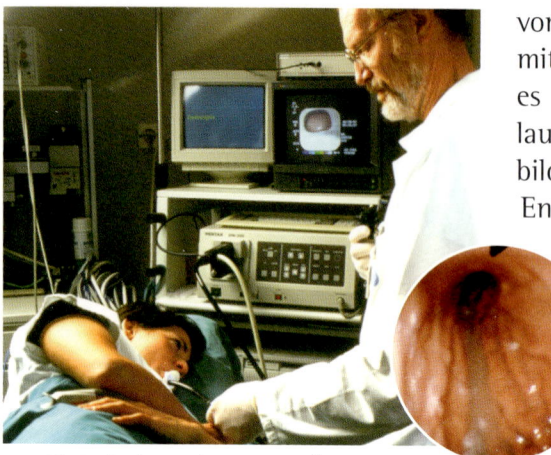
Mit Endoskopen können die Ärzte in Speiseröhre, Magen und Darm hineinsehen.

Während des 20. Jahrhunderts ist die Chirurgie zu einem der wichtigsten Fachgebiete der Medizin geworden. Dank vielfältiger medizinischer und technischer Errungenschaften können die Patienten heute weitgehend schmerzfrei, komplikationslos und schonend operiert werden. Mittlerweile ist es sogar möglich, Endoskope – biegsame Röhren – durch kleinste Öffnungen in den Körper einzuführen und eine „Operation durchs Schlüsselloch"

vorzunehmen. Die Endoskope sind mit einer Kamera ausgerüstet, die es den Chirurgen erlaubt, den Verlauf der Operation am Computerbildschirm zu kontrollieren. Andere Endoskope tragen kleine Skalpelle, Zangen oder Scheren, mit denen beispielsweise der Blinddarm oder Gallensteine entfernt oder Schäden am Knie behoben werden können. Auch Roboter kommen heute im Operationssaal zum Einsatz, etwa wenn es darum geht, ein künstliches Hüftgelenk einzusetzen. Sie können oft sehr viel genauer als ein menschlicher Operateur arbeiten – die Arbeit der Chirurgen werden sie aber nie vollständig übernehmen können.

Die Infektionskrankheiten waren jahrhundertelang die häufigste Todesursache. Mit Impfungen und Medikamenten gegen krank machende Bakterien (Antibiotika) konnten sie so erfolg-

NANOTECHNIKER wollen kleinste Maschinen und Materialien auf atomarer Ebene konstruieren, beispielsweise Nanoroboter, die kleiner als Körperzellen sind. So ein winziger Roboter könnte zum Beispiel gefährliche Ablagerungen in Blutgefäßen zerkleinern und absaugen, Medikamente in Zellen einschleusen oder bösartig wachsende Krebszellen abtöten.

Werden künftig Roboter operieren?

Wird es neue Krankheiten geben?

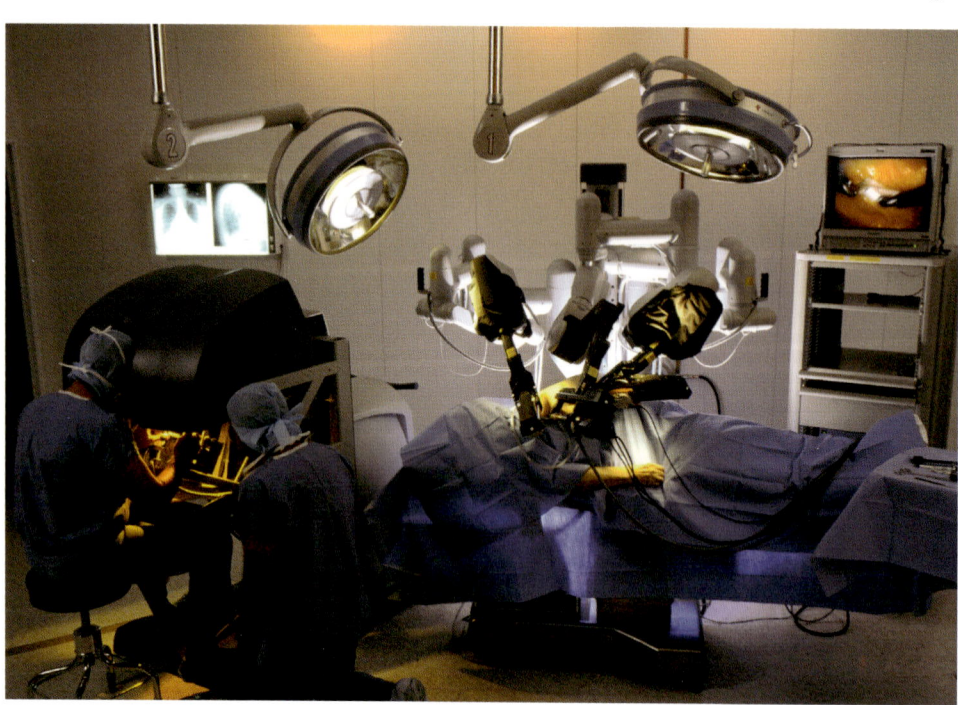

Ein Roboter operiert – aber nur unter Anweisung und Kontrolle der Ärzte.

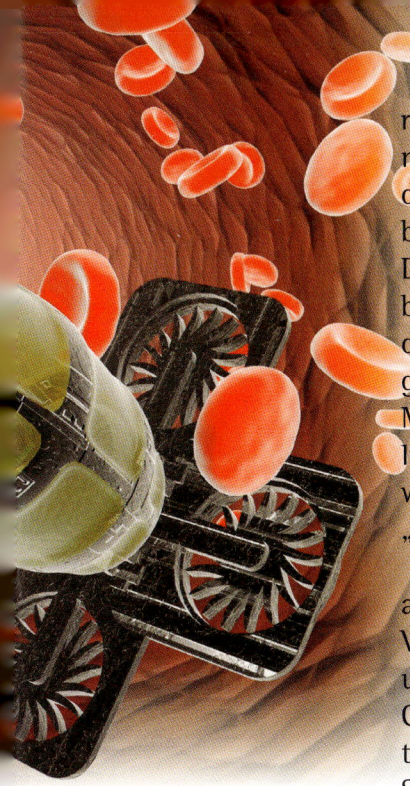

reich zurückgedrängt werden, dass man in den 1960er-Jahren glaubte, das Buch der Infektionskrankheiten bald für immer schließen zu können. Doch dann trat eine bis dahin unbekannte Infektionskrankheit auf: die Immunschwäche Aids, heute die größte medizinische Katastrophe der Menschheit. Es folgten weitere neue Infektionskrankheiten wie die Atemwegserkrankung „Sars" oder die „Vogelgrippe".

Die Wissenschaftler gehen davon aus, dass neue, durch genetische Veränderungen entstehende Viren und Bakterien zukünftig erhebliche Gesundheitsrisiken bergen. Je dichter die Erde bevölkert ist, je mehr die Städte wachsen und je häufiger und weiter Menschen reisen, desto leichter können sich neue Krankheitserreger entwickeln und verbreiten.

Noch Science-Fiction: Ein Nano-U-Boot schwimmt im Blut und fräst schädliche Ablagerungen von den Blutgefäßwänden.

Werden die Menschen bald über 100 Jahre alt?

Es ist noch gar nicht so lange her, da galt ein Mensch von 50 Jahren als Greis. Heute gibt es immer mehr über 100-Jährige, seit den 1960er-Jahren beobachten Altersforscher sogar immer mehr Menschen, die älter als 110 Jahre sind. Sehr gute Lebensbedingungen, eine gesündere Ernährung und eine immer bessere medizinische Versorgung haben dies möglich gemacht. Wo die Grenze der Lebenserwartung für den Menschen liegt, kann bisher niemand sagen – manche Wissenschaftler glauben, dass es überhaupt keine gibt. Allerdings darf man nicht vergessen, dass diese hohe Lebenserwartung nur für die reichen Industrienationen gilt. In den ärmsten

Gesund und aktiv bis ins hohe Alter – das ist ein Wunsch, den viele Menschen hegen.

Regionen der Erde werden die Menschen im Durchschnitt noch immer weniger als 45 Jahre alt. In manchen Gegenden, etwa im südlichen Afrika, stirbt jedes fünfte Kind vor seinem fünften Geburtstag – zumeist an vermeidbaren Krankheiten wie Lungenentzündung, Masern oder chronischer Mangelernährung. Immer mehr Opfer unter den Kleinkindern fordert auch die Krankheit Aids. Krankheiten finden ihre Opfer vor allem dort, wo die Menschen ihr Leben in Not und Elend fristen müssen und sich keine medizinische Behandlung leisten können. In einem sind die Forscher einig: Die wichtigste Krankheitsursache der Welt heißt Armut.

MEDIKAMENTE DER ZUKUNFT

Es gibt Tausende von Medikamenten. Krankheiten, die früher unweigerlich tödlich verliefen – beispielsweise die Zuckerkrankheit – können heute mit Arzneimitteln so behandelt werden, dass die Betroffenen ein nahezu normales Leben führen können. Die Gentechnik – die Möglichkeit, Medikamente mit Bakterien, Hefen und Säugetierzellen herzustellen – hat zu diesen Fortschritten beigetragen. Doch noch immer gibt es viele Krankheiten, gegen die „kein Kraut gewachsen ist". Weltweit suchen die Forscher deshalb nach neuen Medikamenten. Auf ihrem Programm stehen Wirkstoffe, die beispielsweise gegen die Malaria etwas ausrichten können. Unter dieser von Mücken übertragenen Infektionskrankheit leiden weltweit Millionen von Menschen, darunter viele Kinder. Auch bessere Medikamente gegen Herz-Kreislauferkrankungen oder Krebs – den beiden häufigsten Todesursachen in den Industrienationen – hoffen die Wissenschaftler zu finden.

MEILENSTEINE DER MEDIZIN

vor mehr als 50 000 Jahren Der Fund eines armamputierten Neandertalers im Irak deutet darauf hin, dass Operationen bereits in der Frühzeit stattgefunden haben.

vor 9 000 Jahren: Bohrspuren in Backenzähnen von Skeletten auf einem steinzeitlichen Gräberfeld in Pakistan weisen auf erste zahnmedizinische Behandlungen hin.

ab 3 000 v. Chr. Im alten Ägypten entwickelt sich die Heilkunst – neben Priesterärzten behandeln zahlreiche „Fachärzte" die Kranken.

um 400 v. Chr. Hippokrates von Kos stellt die Heilkunst auf ein neues Fundament – Krankheiten haben eine fassbare Ursache und können entsprechend behandelt werden.

um 150 n. Chr. Galen aus Pergamon studiert den Bau des menschlichen Körpers; sein Lehrgebäude beeinflusst die Medizin bis in das 17. Jahrhundert hinein.

um 500 Im frühen Mittelalter entwickeln sich die Klöster zu medizinischen Zentren.

ab 1200 Die neu entstandenen Universitäten, zum Beispiel in Paris und Bologna, übernehmen die Ärzteausbildung.

1543 Der belgische Anatom Andreas Vesalius veröffentlicht sein Werk über den Aufbau des Körpers – es ist das erste vollständige Lehrbuch der menschlichen Anatomie.

17. Jh. Der niederländische Naturforscher Antony van Leeuwenhoek nutzt eine neue Erfindung, das Mikroskop, und sieht Dinge, die für das menschliche Auge bis dahin unsichtbar geblieben waren: Blutzellen, winzige Tiere und Bakterien.

1710 In Berlin wird die Charité gegründet; auch in anderen Städten werden Krankenhäuser eingerichtet.

um 1805 Der deutsche Apotheker Friedrich Sertürner erkennt den wichtigsten Inhaltsstoff des Opiums, das Morphin – jetzt lässt sich das Schmerzmittel besser dosieren. Sertürner gilt als Begründer einer neuen Wissenschaft, der Pharmakologie.

1796 Der englische Arzt Edward Jenner impft erstmals einen Menschen gegen die Pocken und führt damit das Prinzip der Schutzimpfung ein.

1846 Der amerikanische Zahnarzt William Morton zieht erstmals einen Zahn unter Äthernarkose; im gleichen Jahr erfolgt die erste Äthernarkose bei einer Operation.

1840er-Jahre Der ungarische Arzt Ignaz Semmelweis erkennt die Ursache des tückischen „Kindbettfiebers", an dem viele Mütter nach der Geburt sterben.

1880er-Jahre Der deutsche Forscher und Arzt Robert Koch begründet die Bakteriologie und trägt dazu bei, dass viele gefährliche Infektionskrankheiten wie Tuberkulose oder Cholera eingedämmt werden können.

1895 Der deutsche Physiker Wilhelm Conrad Röntgen entdeckt zufällig eine neue Art von Strahlen, mit denen man in den Körper hineinsehen kann.

1928 Der britische Bakteriologe Alexander Fleming entdeckt Penizillin – das erste Antibiotikum rettet Millionen von Menschen das Leben, weil es Bakterien abtöten kann.

1953 Die chemische Struktur des Erbmoleküls in unseren Zellen wird erkannt. Seitdem können die Ursachen von Krankheiten noch genauer untersucht werden.

 **WAS IST WAS** BAND 71 **Piraten**

 **WAS IST WAS** BAND 72 **Heimtiere**

 **WAS IST WAS** BAND 73 **Spinnen**

 **WAS IST WAS** BAND 74 **Natur-katastrophen**

 **WAS IST WAS** BAND 75 **Fahnen und Flaggen**

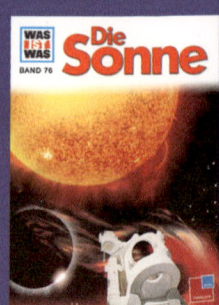 **WAS IST WAS** BAND 76 **Die Sonne**

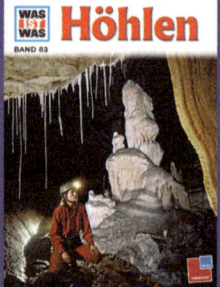 **WAS IST WAS** BAND 83 **Höhlen**

 **WAS IST WAS** BAND 84 **Mumien** aus aller Welt

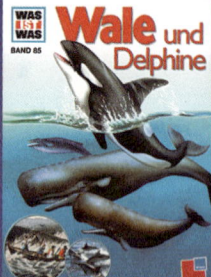 **WAS IST WAS** BAND 85 **Wale** und Delphine

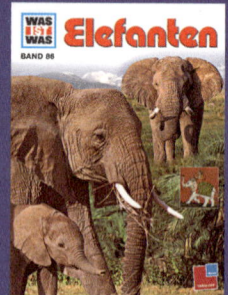 **WAS IST WAS** BAND 86 **Elefanten**

 **WAS IST WAS** BAND 87 **Türme** und Wolkenkratzer

 **WAS IST WAS** BAND 88 **RITTER**

 **WAS IST WAS** BAND 95 **Haie** und Rochen

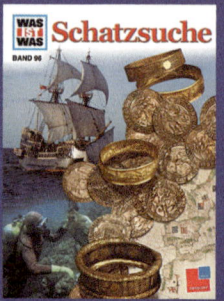 **WAS IST WAS** BAND 96 **Schatzsuche**

 **WAS IST WAS** BAND 97 **Zauberer, Hexen** und Magie

 **WAS IST WAS** BAND 98 **Kriminalistik**

 **WAS IST WAS** BAND 99 **Sternbilder** und Sternzeichen

 **WAS IST WAS** BAND 100 **MULTIMEDIA** und virtuelle Welten

 **WAS IST WAS** BAND 107 **Pinguine**

 **WAS IST WAS** BAND 108 **Das Gehirn**

 **WAS IST WAS** BAND 109 **Das alte China**

 **WAS IST WAS** BAND 110 **Tiere im Zoo**

 **WAS IST WAS** BAND 111 **Die Gene**

 **WAS IST WAS** BAND 112 **Fernsehen**

 **WAS IST WAS** BAND 119 **Gebirge**

 **WAS IST WAS** BAND 120 **POLIZEI**

 **WAS IST WAS** BAND 121 **Schlangen**

 **WAS IST WAS** BAND 122 **Bionik**

Die Reihe wird fortgesetzt.